国家出版基金项目
NATIONAL PUBLICATION FOUNDATION

《三联经典文库》

第二辑

2012 年国家出版基金项目

《三联经典文库》编辑委员会名单

三联经典文库

130

近代世界政治史

钱亦石 著

生活·讀書·新知 三联书店

图书在版编目(CIP)数据

近代世界政治史 / 钱亦石著. -- 北京：生活·读书·新知三联书店, 2014.1
（三联经典文库第二辑）
ISBN 978-7-108-04758-8

Ⅰ.①近… Ⅱ.①钱… Ⅲ.①政治制度史－世界－近代 Ⅳ.①D59

中国版本图书馆CIP数据核字(2013)第261785号

130 近代世界政治史

责任编辑 胡群英
封扉设计 蔡立国
责任印制 李思佳
出版发行 生活·讀書·新知 三联书店
(北京市东城区美术馆东街22号)
邮　　编 100010
经　　销 新华书店
印　　刷 北京市松源印刷有限公司
版　　次 2014年1月北京第1版 2014年1月北京第1次印刷
开　　本 787毫米×1092毫米 1/32 印张 12.375
字　　数 173千字
定　　价 45.00元

《三联经典文库》出版缘起

适逢生活·读书·新知三联书店八十华诞，为弘扬传统，接续文脉，回报读者，服务社会，我们决定策划出版《三联经典文库》。

1932年7月，生活书店在上海创办，此后，读书出版社和新知书店相继成立。本文库第一辑、第二辑所选图书，来自于这三家出版单位及其分支机构，以及1948年生活·读书·新知三联书店成立后的出版物，始于1932年，截至1951年，两辑各一百种。此为第二辑，涉及政治、经济、社会、军事、思想文化诸领域，涵盖专著、文集、散文、小说、诗歌、传记、报道等体裁，既有直面现实、追求真理、讴歌真善美、抨击假恶丑的原创作品，又有引介世界各国先进文化、传播新知、开启民智的迻译之作，真实记录了那一代知识分子的思考与探索、理想与愿景和对中华民族文化传承与创新所做出的努力与贡献。

本文库所辑入各书，多为名家名作，在版本方面，以初版一印本或经著译编者审定、修订、增订过的版本为首选，因此本文库又具有较为珍贵的版本价值和收藏价值。

本文库还将编选续辑，使之成为恢弘文化工程。诚挚希望读者给予批评和指正，帮助我们完善编选工作，再现三联经典作品之风采。殊为遗憾的是，由于年代久远，一些原著译编者及其后人未能取得联系并奉付稿酬，诚盼版权所有者与我们联系。祈愿三联前辈所创造的精神财富能薪火相传，为中华文化的伟大复兴增光添彩。

《三联经典文库》编辑委员会

2013 年 8 月

凡　例

一、本文库为重排本，由繁体字竖排版改为简体字横排版。

一、以忠实于原作、整旧如旧为编辑原则，对当时使用的专有名词、外文译名，以及民国时期的语言和特色予以保留。

一、原书注释如旧，编者所出的注释，均以“编者注”标明，以示与原书注释的区别。

一、对原书残缺或字迹漫漶之处，以□示代。

一、对繁简文本转换时的“如右”、“见左”一类，对应改为“如上（前）”、“见下（后）”。

一、对原书中各种错讹脱衍之处，直接订正，不再以其他符号标示。

一、对数字、标点符号的用法，在不损害原文语义的情况下，做必要的规范。

一、本文库各书均前插原书书影、原书版权页和文库版“本书出版说明”。

一、本书出版说明的撰写，以客观中立为原则，扼要介绍本书的内容、版本流转、著译编者的情况。

本书出版说明

本书是钱亦石所著的世界近代政治史课程的讲义。全书按照苏联的世界近代史学科体系，对自英国工业革命起到第一次世界大战结束这一时期的世界政治演进作了梳理。基本观点即各国相继发生的工业革命引发了各自政治的变革，程度各异地推动了国内民主和政治的发展，同时由于对国际市场等的需求增强，各国间出现利益冲突和矛盾，最终引发了第一次世界大战。全书共十四章，分别为英国工业革命、美国独立运动、法国大革命、欧洲各国一八四八年的革命、俄国农奴解放与美国南北战争、欧洲民族运动与社会运动、日本明治维新运动、俄罗斯一九〇五年的革命与立宪运动、帝国主义时代、一九一四——一九一八年的世界大战、俄罗斯一九一七年的革命、世界大战结束后的巴黎和会，勾画了世界近代各国的政治发展简图。

本书由生活书店于 1946 年 2 月初版，同年 10 月再版，1947 年 5 月出第 4 版。此次出版，即以再版为底本。

钱亦石（1889-1938），原名城，字介磐，笔名啸秋、史庐、谷荪、白沙、石颠、巨涛、楚囚等。湖北咸宁人。出生于书香之家。1920 年代，加入中国共产党，与党的早期创始人董必武、陈潭秋、恽代英等积极推动国共第一次合作，大革命失败后先后赴日本、苏联学习。1930 年代回国后，以大学教授的身份从事教育和文化出版，全身心投入抗日救亡运动。1938 年因积劳成疾病逝于上海，被董必武称为“红色教育家”。主要著述有《中国外交史》、《近代中国政治史》、《现代教育原理》、《中国怎样降到半殖民地》等，编写《世界发明家列传》、《世界思想家列传》，曾译过《德国农民战争》。

生活·读书·新知三联书店

2013 年 8 月

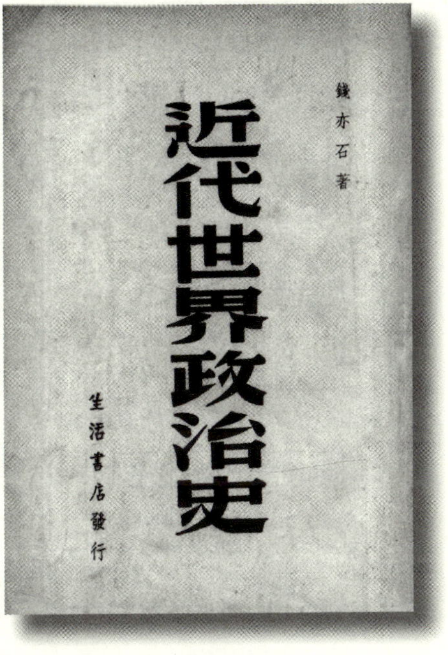

生活书店 1946 年 10 月再版书影

近代世界政治史

著者　錢亦石

發行人　徐伯昕

發行所　生活書店　上海呂班路六號　重慶·新加坡

中華民國三十五年二月初版
中華民國三十五年十月再版

〔21〕S. 2001—3000

原书版权页

目次

第一章　英国工业革命

第一节　工业革命前的英国社会经济

近代史的界碑

历史本具有整个性，自有文字记载起，不，从先史时期（Pre-historic Period）起，一直到辽远的未来止，都是一贯连续的过程，似乎不可任意分割。我们要讲世界史，仿佛有“不知从何处说起”之概。可是，我们所讲的是世界政治史，政治是人类社会发展到某种阶段之产物，即是说，社会内部起了分化以后，人与人相互之间成了对立的形态，才有政治制度出现。这样说来，政治史在整个历史一贯连续的过程中，就不知缩短了若干万年。其次，我们所讲的是近代世界政治史，所谓“近代”，也无一致的解释。罗马法学家曾有“我们的近代”（these modern times of ours）之语。但一般人所称的近代，大抵指最近二三百年而言，意谓从十六世纪以来的人类思想生活，与中古异，与现在相同耳。近代史的发端，历史学者各有不同的意见。有的主张从英国一六八八年的光荣革命开始，有的主张从法国一七八九年的大革命开始，也有的主张从英国工业革命（Industrial Revolution）时期开始。我以为一切历史事变，都有经济的原因，换言之，即物质生产力（material power of production）是历史的车轮之发动器。因此，我同意最后一种说法，把英国工业革命看成近代史的第一幕。有了英国工业革命，似乎是“春雷一震，万物昭苏”，全世界都改变颜色。简直可以说，英国工业革命以前是一个世界，英国工业革命以后又是一个世界。英国工业革命无异近代史的界碑（Landmark）。所以，我们讲近代世界政治史应该从英国工业革命起。这并非把英国工业革命以前的历史一笔抹煞，不过如海士（Hayes）与蒙恩（Moon）所说，“我们重视新近流入‘文明之河’（River of Civilization）的新川，更甚于‘文明之河’的本源”吧！

工业革命与资本主义

近代资本主义社会，是从十八世纪下半期英国工业革命后才形成的。十八世纪中叶，就英国经济发展上说，是一个比较先进的国家，大不列颠（Great Britain）殖民地的扩张，不但使它掌握海上的霸权，并且一跃而为欧洲的强国。商业的发展，市场的广大，即是产生资本蓄积的先决条件。市场上商品的需要日增，宗主国原有的生产制度不能满足这种要求；因此，不得不发生生产方法及生产制度的革命，将小企业联合而成大企业是一种必然的趋势。这种革命即是宣布英国已经走上资本主义工业发展的康庄大道。资本主义生产须具备三种因素：即资本（Capital），原料（Raw Material），与劳动力（Labour Power）。在事实上，英国工业革命恰恰造成了资本主义向前发展的一切必要条件。所以，英国是工业革命的祖国，同时又是资本主义的前驱。

农业形态

十八世纪之初，英国的大部分人口还是从事农业，其东南部土地肥沃，人口尤为密集。当时农业的生产物大抵是供农村消费的，并不送到市场上去。土地属于领主、地主与自由农民；农民之中比较富裕者称为自耕农（Yeoman），其土地甚少者或无土地者耕种领主或地主的土地而负担种种的义务。农村到处保持旧农业形态，三田制（three fields system）盛行（每年有一块土地不种，其他二块土地则分种大小麦）。地主与农民必须加入农村公社。地主的土地不是连续的，而是细分的，通常介在于农民土地之间。因为土地是犬牙交错的缘故，所以，经营农业者不可不用相同的方法去耕种，且又不可不在一定期间内从事工作。收获终了，各人所有地之间的境界撤去，改为公共牧场。所谓“开放的田野”（Open Field）可供一切所有者使用，草地与森林，都是公社共有的。

工业形态

集中于都市以从事工商业的人口并不多；在十七世纪之末，利物浦（Liverpool），北明翰（Birmingham），设斐尔德（Sheffield），人口都不过四千，曼彻斯特（Manchester）人口亦止六千。当时的手工业已有组织于尚无强大势力的行会（Guild）之内者。政府与行会制定规约，凡制品的数目，材料的色彩与尺寸，劳动者的人数，师傅（Master），职工（Journeyman）及徒弟（Apprentice）的关系，都有明白规定。跟着货币经济的发展，缺乏统制的生产与交换遂起于行会之中。行会外的企业也开始发生了。在农村里，家庭工业又发达起来。当机械出现之前，成为工业中心的农村，散布到全国。一部分家庭工业是制造金属器具的（如设斐尔德与北明翰地方），但大部分则纺呢绒线与制毛织物。

行庄商人

在初期，从事家庭工业者出卖自己的制品，多半亲往市场。以后，因为没有时间为自己的制品推广销路，于是家庭工业者不得不委托“行庄”（Firm）代其贩卖，似乎为行庄而劳动了。当时独树一帜的行庄，持有相当资本，收买货物亦属轻而易举之事；再把这些货物运到较远的市场上去，以高价转卖，又可以大赚其钱。可是，行庄商人占便宜的地方并不止此。他们常利用家庭工业者的困难，取得生产工具为抵押品，贷以现金与原料。

这样一来，家庭工业者渐渐屈服于行庄之下，而行庄商人就渐渐变成企业家了。这些新起的企业家，任意定报酬之额，使家庭工业者为工作上的便利计，实行专门化，这简直是从货物的贩卖者变为生产的组织者。同时，行庄又利用自己的地位，对家庭工业者行高度的榨取，于是大资本便蓄积起来。

工场手工业

当十八世纪时，行庄商人在生产上渐渐起了大的作用，他们把原料与生产工具收归掌握之中，指挥从属于自己的生产者，俨然成为大工业企业的主人。然而，企业的各部分，分散于各家庭工业者的家内，呼应不灵，亦非行庄的利益。因此，行庄商人便把以前从事家庭劳动的生产者集合于一个工场之内，这即是工场手工业（Manufacture）。与家庭工业制度比起来，工场手工业有许多优越性，可以施行技术的分工，可以监督劳动者的工作，于是劳动生产力就有显著的提高了。不过，这种劳动生产力的提高，固然表现历史的进步，但在向资本主义发展的过程中，却不是劳动者的利益而是企业家的利益；换言之，即劳动生产力的提高，只是生产相对剩余价值（Relative Surplus Value）的一种特别方法而已，只是增进资本蓄积的一种特别方法而已。

工业革命时代著名的英国经济学者亚丹·斯密（Adam Smith）曾描写过制针的工场手工业之情形，证明该业劳动过程之速与其生产力之大，远非家庭手工业可比，一个工场内集合许多家庭工业劳动者，各人在一定的生产阶段中，分担一种工作。计抽铁线者一人，直者一人，截者一人，锉锋者一人，钻鼻者又一人。但要钻鼻，也须有二三种不同的工作。锉之使利，擦之使白，乃至以针刺于纸上，纳于匣中，皆须一人分任。综合全部工作，可分成十八种。有些工场，把十八种工作，由十八个特殊职工担任，也有一人兼任二三门的。某小工场，只雇用十个劳动者，一日能成针十二磅，每磅以四千枚计算，共有四万八千枚，即一人一日成针四千八百枚。如果他们各自独立工作，不论是谁，要想一日制造二十针也不易办到。有人说，"工场手工业的分工是资本主义生产方法一种完全特别的创造物"，这句话，是有根据的。

国外贸易与资本蓄积

工场手工业的发达，把大批商品送往市场，不独促进了都市与农村的商业关系，并且使国内市场容纳不下的商品，不断的向国外输出。这即是十八世纪英国国外贸易蒸蒸日上的基础，这即是英国大资本继续蓄积的基础。

一般说来，在原始蓄积时代，对殖民地的掠夺，是欧洲资本主义发达的主要源泉。美洲的探获与好望角（Cape of Good Hope）的开航，扩大国外贸易的领域。贪得无厌的商人乘机而起，向无防御的落后民族肆行劫掠。从事制造的实业家也组织半强盗式的远征队，追逐到天涯海角，使全世界变成他们的市场。“美洲金银产地的发见，土著人口的剿灭，奴隶化，与埋没于矿山中，东印度的征服与掠夺的开始，非洲变成贩卖黑奴的商业狩猎场——这些事实表现资本主义时代的曙光。这种朴素的进程，即是原始蓄积的主要原因哩。”

为殖民地贸易之故，英国商人曾组织“旅行商人”公司。到十六世纪及十七世纪，从政府方面得到商业独占之特许的贸易公司（Company）也有了。鼎鼎大名的东印度公司（The East India Company）即其一例。这些公司拥有庞大的资本，到处分设支店，有总督及经理负责，掠夺土人与贩卖黑奴乃成为主要的事业。一年之内，黑奴输入额达三十万人，这是一笔很赚钱的生意。所以说："机械、信用与奴隶，同是资产阶级工业的基础。没有奴隶就没有棉花，没有棉花就没有近代工业。奴隶对于近代殖民地给以某种意义，殖民地引起世界贸易，世界贸易又是大工业必须的前提。"

因为奴隶贸易，利物浦与波斯顿（Boston）便繁荣起来。这些都市输出金属制品到非洲西部交换黑奴，把黑奴从非洲送到巴西与西印度群岛田园中去，再把用黑奴换来的商品转运到英国。黑奴则在栽培棉花，五谷，烟草，咖啡，砂糖的田园中劳动。

殖民地贸易，可以大发其财。利润达到五倍或五倍以上，商人们在欧洲市场出卖殖民地的商品，又把欧洲的商品贩往国外。商人对于落后民族的土人是暴力与欺骗并用的，常以小儿玩具与陈货与土人交换宝石。十八世纪初叶，贩卖殖民地的商品有获二十倍之利润者。殖民地真像温室一样，使刚刚萌芽的工场手工业在短速期间蓬蓬勃勃的兴盛起来，为大工业创造了必要的条件。

第二节　农业革命

牧畜业压倒农民业

在欧洲，特别是尼德兰（Nederland），毛织业非常发达，使英国品质优良的羊毛成为可以“居奇”的货物。羊的价格高涨数倍。因此，土地所有者便把耕地改为牧场。从前犬牙交错的境界自然撤废了。大地主从土地上把农民“扫清”，牧畜业盛行，农民走上死灭之路。哈利孙（Harrison）在他的《英国记》（*Description of England*）中曾描写当时驱逐农民情形，自耕农的住宅以及劳动者的小屋，不是被人破坏，就是听其腐朽。他说:“若将每个诸侯采地的旧记录比较一下，便看见无数房屋与小农场已经消灭了，现在土地上所养的人民更少了。至于城市，虽有些新的勃兴起来，然而许多旧的都毁灭了。……许多村舍都被破坏，作为牧羊场，其中所存者只有领主的房屋，我可以说出些来。”这位旧史家所记的事，恰是当时生产关系变革的写真。怪不得莫尔（Thomas More）于其所著的《乌托邦》（*Utopia*）中说，在这个特别国度里，羊是吃人的。

土地圈划

从十五世纪已经开始的土地圈划（Enclosure），对于利用公开牧场制度的农民，予以大的打击。到“光荣革命”（一六八八年）以后，英国国会为地主所操纵，所以，国会议员站在地主的利益上也愿意通过《土地圈划法令》（*Enclosure Act*）。这样一来，劫夺土地更有了法律上的根据。自一七〇〇年到一七六〇年之间，计通过前项法令二百零八起，圈划土地达到八十一万二千约克（Yoke——英国面积单位，约合〇点四〇四六 Hectare）之广。自一七六〇年到一八〇一年之间，又颁布前项法令二千起，依照法令的效力，三百约克以上之土地也圈划起来。当时土地圈划的盛行，本有其客观条件；申言之，即工业发展与城市勃兴，农产品的需要一天天扩大，给地主以特殊的刺激。不仅牧羊可以致富，即经营普通农业亦是非常有利之事。同时，又颁布所谓《谷物律》（*Cornlaws*），重征谷物进口税，本国谷物市场完全落在地主手中。到十八世纪后半期，英国又变成某种限度的谷物输出国。

农绅与农业技术

因经营农业有利，就唤起改良农业技术的要求，当时有所谓“农绅”（Gentlemen Farmer）者注意提高耕种土地的效率，他们在农业上的重要，几与工业上的厂主相等。最著名的农绅，有下述四人：

（一）叶忒罗（Jethro Tull）——英国从前大抵用手撒布种子，以致植物与植物之间不能下锄、无从除草。叶忒罗告诉农夫下种取直行，每行之间留出空地，以便下锄除草。这种方法也许是他在法意两国旅行时看到的。他曾创制一种播种机，随人指挥，自动播种，大约是一七〇一年发明的。他又使用马拖的耕犁，以后著一本书，叫做《耕法》（*Horseshoeing Husbandry*，1731）。

（二）坦增德（Viscount Townshend）——他本是从事政治活动的人，后因与某权贵意见不和，遂退隐田间，治理农业。他不但采用叶忒罗的方法，并实行一种轮种制（System of Crop-rotation），把小麦，萝卜，大麦等分年轮种，加以肥料，以此收获奇丰。他最重萝卜的收获，所以有“萝卜坦增德”的绰号。

（三）贝克威勒（Robert Bakewell）——他以豢养家畜为业，因改良牛羊品质出名，所用方法，不外选择优种交配，禁止盲目传种。当时工业都市需要大量的羊肉，牛肉，牛乳，乳油，乳酪等物，所以改良家畜，也成了风气。英国某大市场内，从一七一〇年到一七九五年之间，小牛平均重量从五十磅增到一百四十五磅，大牛从三百七十磅增到八百磅，小羊从十八磅增到五十磅，大羊从二十八磅增到八十磅。

（四）亚塔尔阳（Arthur Young）——他是“农绅”中最重要之一人，虽未曾亲身耕种，却用笔来代犁锄。在十八世纪末叶，他把旅行时所观察的各种耕种法，告诉农夫，且著书以述其所见，尝出一种月刊，名叫《农业时报》（*Annals of Agriculture*）。

不待说，这些“农绅”所提出的农业技术，是与地主有利的，小佃户大半无力仿效；并且在地主所采用的新方法压迫之下，而那些技术落后的小佃户却一天天沉入到破产的深渊里去。

农业资本主义化

地主的土地增大，而又采用较新的农业技术以从事耕种，将大批农产物送到市场，这便是资本主义化的农业。“耕种人的数目虽已减少，然土地所产的生产物与以前一样多，或者比较更多些。因为土地关系的革命，有更善的耕种方法，更大的协业，与生产工具的集中等等跟着出现，而农业劳动者不独是工作愈加紧张，就是他们为自身劳动的生产领域也愈加缩小了。农业人口的一部分既被放出来，他们从前所需的生活资料也被放出来了。这些生活资料已变成可变资本（Variable Capital）之物质的要素了。被驱逐的农民必须用工钱的形态从他的新主人——工业资本家——方面购买这些生活资料的价值。”

英国封建的土地关系是这样与其新条件相适应的。英国的地主大半变成资本家。而那些农业小生产者不得不离开土地，不得不放弃以前赖以活命的生产工具，而加入工钱劳动者的预备队中；换言之，他们已成为“飞鸟般自由的无产者”。

爱尔兰的农民

在这里，应该把英国国会在爱尔兰的土地占有政策略加叙述。爱尔兰是英国资本家所经营的国土。那里一切土地悉握在英国大地主的手中。这些大地主以极苛刻的条件把土地租与爱尔兰人。而爱尔兰的大承租人又以较高的地租转租与贫农耕种。爱尔兰人受不了这些苛刻的条件，所以对英国的压迫者时举“反叛之旗”。英国人对待爱尔兰人的反叛，则用暴力镇压；一七九八年“统一爱尔兰人”协会的反叛亦被镇压下去。爱尔兰的自治既取消，遂与英国合并，于是大不列颠与爱尔兰同是“合众王国”（United Kingdom）之一部分。爱尔兰的农民便陷于水深火热之中而无由自拔了。

农业革命的结果

农业革命的结果，广大面积的土地都并入大地主支配之下。大地主以土地租与“资本主义的佃户”（Capitalist Farmer），这些大佃户雇用工钱劳动者耕种。将剩余生产物的一部分用货币或货物付给地主，叫做地租。而从前有土地的自由农民则一天天绝迹了。农村人民分别为三种:(一)大地主,靠地租生活;(二)大佃户,有很多的资本,可以出高价租种土地;(三)农村工钱劳动者,靠出卖劳动力生活。到十六世纪,因贵金属价值继续下降,货币价值也继续下降,黄金的果实便落到大佃户的荷包中。当时劳动工钱低落,即是说,劳动工钱的一部分加入大佃户的利润中了。谷物,羊毛,肉类——总说一句,全部农产品——的价格继续增高,使大佃户不劳而有意外之获;同时,他所要付的地租是依向来的货币价值计算的(当时租约很长,常至九十九年之久)。大佃户两面开刀——牺牲工钱劳动者与地主——而造成自己的富裕,巨额的资本便由此蓄积起来。

第三节　技术革命

纺织机的发明

手工业生产不能满足市场的需要,于是技术革命的时代到来。英国促进生产的最初发明,要算一七三三年钟表工人开伊(Kay)所创制的飞梭,把飞梭应用于织布业,可使织布的速率增加一倍。这样一来,就引起织布业工场有原料不足之感。“纱线饥荒”逼迫发明者研究促进纱线生产的方法。一七六五年，一个兼做木匠的纺纱者——哈格理佛士（Hargreaves）就顺应时代的要求发明了纺纱机；他用他女儿的名字——Jenny——称呼这新发明的宝物。经过几次改良，居然一个劳动者同时能纺八根纱线。不过这种纱线，质松易断，只可作经，不能作纬，未免美中不足。这个缺点，竟为理发匠阿克来（Arkwright）所除去。阿克来于一七六九年发明一架机器，把纺纱的轴子改了，用一纺轮替代纺工的手指。这机器用水力推动，故叫水力机（Water Frame），这位发明家，自己建设几个工厂，靠水力机积成大富，他是最初因机器而发财的人。可是水力机所纺纱的线，虽很坚实，但略嫌粗。到一七七九年克纶普吞（Crompton）又把这种缺点除去了。他的机器叫纺骡（Mule），凡哈格理佛士与阿克来机器的好处，都包括在内。以后又经苏格兰人策勒（Celle）的修改，可以制出很匀细的很坚致的纱线。纱线问题解决之后，又引起纱线数量与织布能力不相称，换言之，即纺纱业突过织布业。到一七八四年，教士卡特赖特（Cartwright）发明自动织布机

（Automatic Loom），这种不相称又过去了。经过多次修改，于是广被采用。

毛织业机器化

在英国工业上所完成的生产方法的革命，决定其他各方面的革命。织布生产机器化以后，其他的纺织业——如毛织业与麻织业——亦陆续采用机器。羊毛业厂主，把纺织业的发明，应用到羊毛业里来。其使用哈格理佛士的机器虽然很早，可是成功不大。羊毛业小生产制度保存的时间颇久，而且还能与大生产竞争，据一八〇三年的统计，毛织品中十六分之十五是由小生产制造出来的。但因生产技术的变动，终究产生了新羊毛工业的中心，如黎芝（Leeds），布拉德佛（Bradford），及哈里法克斯（Halifax）等。在蒸汽机发明之先，须用水为动力，这些工业中心，大抵在水流很急的河岸。

钢铁工业的发展

制造机器需要钢铁，因机器的普遍采用，钢铁工业也起革命了。当时英国的矿业与钢铁工业还不能满足制造机器的需要。十八世纪时，化铁炼钢用木材为燃料，以致森林斩伐殆尽，引起木材不足，钢铁生产亦受影响，一七二〇年，六十家化铁炉只产一万七千吨铁。英国铁矿虽富仍不能不从瑞典与俄罗斯输入生铁。要解决钢铁的困难，非从燃料着手不可。一七三五年，有铸铁匠名达比（Darby）者，发明以焦煤（Coke）炼铁，于是生铁数量大增，而熟铁则又感不足。到一七八四年有亨利科特（Henry Ceort）发明用特种熔炉来镕化生铁块，即当铁极热之时，搅之捣之，把其中杂质除去而炼成比较纯粹的铁——熟铁与钢。有了这些发明，钢铁问题便解决了。因此，英国钢铁在十八世纪大为进步，成为欧洲钢铁工业最发展的国家了。

汽机的发明

机器可分三大部分：(一)发动机，(二)传力机，(三)工作机。上述各种发明大半属于工作机一方面。但因工业的发展，发动机更成为重要的问题。在汽机未发明之先，发动机仅靠兽力或水力，然水力为地方性质所限，不能普遍应用。于是汽机便成为不可少的利器了。瓦特

（James Watt）经多年之研究与试验，在一七八一年制成双动汽机，从此就产生真正的蒸汽机了。一七八四年，帕普维克（Papplewirk）纺织工厂第一次应用汽机。一七八六年第一次建立汽机的纺纱厂。汽机的发明，于工业发展上有远大的意义，工业革命历史家说："汽机发明不独开始了工业革命最彻底的最坚决的一个时期，而且产生一种新的工业部门，就是机器制造工业，而这门工业，只有根据大生产的原则，才能组织起来。"《资本论》的著者也说："瓦特天才的伟大，正如他在一八八四年得到专利状上所说，这个发明，不是为着某种特殊目的，而是为着大工业通用的发动机。"假使说汽机是近代文明之酵母，那么，瓦特便是近代文明之产婆了。

第四节　工业革命后的英国

从农村国变为工业国

工业革命使英国全部生活起了大的变化。从农村里排挤出来的农民——飞鸟般自由的无产者，像潮水一样的流入都市。十七世纪之末，英国农村居民几占全国人口的五分之四，到一八一一年，都市居民已占全国人口的十分之六。这即是说，英国已从农业国变为工业国了。当她还是农业国的时候，以东南部为人烟稠密之区，可是，在工业革命后，其中心地带已转移到工业发达的西北部。如曼彻斯特从前本是一个村镇，不及百年，成为纺织工业的中心，人口增加十倍。又如北明翰在十八世纪初，居民只有一万五千人，自成为金属工业的中心以后，人口骤增到五十万人。此外，如毛织工业亦向黎芝（Leeds）集中，黎芝也成了西北部的大都市。从前闲散的英格兰（Merry England）已变为忙碌的英格兰了。

纤维工业

受工业革命影响最大的是纺织工业，棉花之纺而为纱，又织而为布者，在一七二〇年不过两百万磅；在机器发明后，到一八二〇年，增加到六十倍；到一八五〇年，几增加到三百倍。所以说，“兰开夏（Lancashire）的历史是新时代的奇迹，这一切奇迹都从纺织工业发生出来”（英国劳动者生活状况）。其次是毛织工业，一七八八年，约克（York）所产毛呢只七五〇〇〇匹，到一八一七年则有四九〇〇〇〇匹之多。至于麻织工业，也有大的进步，一八一四年，丹梯（Dundee）用麻三〇〇〇吨，到一八三三年则为一九〇〇〇吨。

煤铁工业

因机器的普遍采用，煤铁的需要一天天扩大起来，尤其是在发明炼制熟铁之后，化铁炉增大十五倍；再加以风箱的改良，铁的生产比前便利。往昔许多用木制或石制的工具，现在都改用铁了。铁的用途既广，煤的用途也因之更广了。兹引十八世纪下半期英国煤铁增加的数字如下，以见其发展之一斑。

年度	产铁的吨数	年度	产煤的吨数
1740	17,350	1750	4,773,828
1788	68,300	1770	6,205,400
1796	125,079	1790	7,618,728
1806	258,206	1795	10,080,300

交通事业

各种工业既蒸蒸日上，没有便利的交通是不成功的。英国从十八世纪中叶起，极力建筑马路与新水道。

在一七六〇年与一七七四年之间，国会通过关于修筑道路的法案，共有四百五十二起，交通网便一天天繁密起来。此外，开浚运河也有特别成绩，曼彻斯特与利物浦之间的运河完成于一七五五年，运费减低两倍；而联贯伦敦与各城之间的大运河（Grand Junction Canal）则成于十八世纪之末。到一八二五年，运河总长已达五百英里。这些运河的开浚，都是私人请求，经过政府特别许可，由股份公司办理的。

国外贸易

英国是先进的工业国，其工业生产对全世界实居于垄断地位。换言之，英国已成为“世界的工厂”了。从前与英国竞争的国家，现在都落到英国之后，所以，无需保护关税保护自己的工业，反之，只要求自由发展，要求自由贸易。一八六六年，泽丰斯（Stanley Jevons）说了下面一段话，描写英国国外贸易的优越：

> 建筑在我们煤炭富源基础之上不受束缚的商业，使地球上好些地方成为我们驯伏的附

庸。北美与俄罗斯的平原是我们的稻田，芝加哥与敖得萨（Odessa）是我们的仓库，加拿大与波罗的（Baltic）是我们的森林，澳大拉西亚（Australasia）有我们的牧草，南美有我们的牛群，秘鲁送银来，旧金山与澳洲的金流到伦敦，中国为我们种茶，而咖啡，砂糖，香料则得自东印度，西班牙与法兰西是我们的葡萄园，地中海岸是我们的果木园，从前在美国南部所占的棉田，现时则遍布于全世界各处……（译自 Siegfried：*England's Crisis*，P.15）

这一段话，无异说，英国征服了全世界。申言之，就是工业革命赠给英国以资本主义的王冠，使其支配一切。

资本家与劳动者

在这里，要特别指出的，戴资本主义王冠者不是全体英国人，而是英国人之中的资本家，他们乃新时代的宠儿，把一切财富握在手里，傲气凌人，扬扬得意。如果借用英国欧文（Robert Owen）的话说，就是："一切财富之很快的蓄积，是机器发明结果的蓄积，将社会上那些最无知识最无良心的分子，都造成资本家了。"然而，有了资本家，就与封建势力发生冲突，这即是说，由经济上的革命引起政治上的革命。以后政权也属于资本家了。可是，另一方面，随着工业的发展，劳动者也急激增加，破产的农民与手工业者无路可走，只得出卖劳动力到工厂里侍候机器，成为机器的奴隶。他们是"工业革命最主要的产物——普罗列塔利亚（Proletariat）"。劳动者的生活是与资本家有天渊之隔的，就是说一在天堂，一在地狱，也并非过火之言。而且站在机器旁边的不仅是成年的男工，还有他的妻子与小孩（女工与童工），工时既长，工资又薄，在恶劣的生活情形下面，使他们深深了解资本主义的剥削性与残酷性，所以，在工业革命以后，资本家与劳动者在社会内部是对立的。这是社会发展中之又一矛盾。

英国工业革命与全世界

工业革命本起于英国，可是其影响则超出英国国境之外。英国资本家既改良生产技术，又开拓交通利器，以创造出近代文明，于是把一切国家，甚至连最野蛮的人种，也拉入文明队里。他们以大炮似的商品，向全世界进攻，就是中国的万里长城也抵不住；结果，全世界，甚至连极端排外的野蛮人，都不得不屈服于“日无停照”的国旗之前。世界各国为保存自己垂危的生命起见，都不得不采用英国资本家的生产方法，换言之，就是不得不发生工业革命。所以，到现在，英国资本主义已按照自己的模型改造全世界了。

练习问题

（一）英国工业革命的社会背景怎样？

（二）英国农业革命是怎样引起来的？其利益落到谁的手里？

（三）英国技术革命的过程怎样？其动机是为什么？

（四）英国工业革命引起那些社会矛盾？与全世界的影响怎样？

参考资料

（一）《产业革命讲话》（生活书店）

（二）《产业革命》（亚东图书馆）

（三）《近代世界史》第十四章（世界书局）

（四）《西洋史》要第五章（南强书局）

（五）*Capital*, chap. XⅢ, “Machinery and Large-Scale Industry”

第二章　美国独立运动

第一节　欧洲人移殖新大陆

移殖的原因

新大陆本是哥仑布（Columbus）发见的，这既非出于上帝的启示，又非他个人偶然的成功，而实由于欧洲经济发展的需要。申言之，即欧洲资本主义已有萌芽，它要冲破忧郁的黑暗的中世纪，不得不寻求到东洋的新航路，于是处女地的美洲便与高鼻碧眼儿发生关系了。自一四九二年，美洲发见以来，三百年间（十六、十七、十八世纪），欧洲人络绎不绝的向新大陆移殖。他们远离故乡，横渡大西洋，从事“荜路蓝缕以启山林”的伟业，实有其不得不如此的原因。当时欧洲各国有所谓宗教改革运动，到处发生宗教的纷扰，在如西门（Simons）在《美国史上的社会势力》（*Social Forces in American History*）一书中所说："互相争斗的无论那一个宗派，只要稍得支配力，便马上用尽权力去扑灭那竞争者的异端。因此，求避难之所于美洲的宗教上的亡命客，几于无时或绝。"避免宗教的迫害是欧洲人移殖新大陆的一个重要原因。

但是，我们"必须牢记着，与这宗教的动机同时并起的，还有经济的动机——即希望在新世界里获得生活较好的机会，希望得到在欧洲封建制度之下被拒绝的机会，希望发见因宗教战争致于荒废与难堪的状态在美洲可得到解放。最初的移殖者，动机多起于宗教。然而继此而来的移殖者，则多被经济改善的希望所支配了"（Faulkner：*Economic History of the United States* P.7）。最明显的事实，如西班牙人发掘了墨西哥与秘鲁的黄金，又同美洲土著印第安人（Indians）做皮货生意赚了大钱，移殖新大陆无异开辟一条"生财之道"。于是就把日趋贫困的欧洲人吸引到"世外桃源"的新大陆之上了。

移殖的国别

在美洲发见后约百年间，依照教皇的敕许，只有西班牙人可向北美殖民。到十七世纪为止，也只有西班牙人企图在北美建立永久的殖民事业。其殖民地大抵在佛罗里达半岛（Florida），得克萨斯（Texas），新墨西哥（New Mexico）以及加利福尼亚（California）地方，移殖到美洲的西班牙人，或用暴力，或用怀柔政策，掠夺土人的财富——尤其是金银。又与印第安人通婚，其混血儿从事农业。生活必需品则用高价向本国购取。这种专为本国打算的殖民政策，绝少永续的可能性，终于被英国人所驱逐了。

次于西班牙人而移殖新大陆的是荷兰人。在当时，荷兰是欧洲重要的资本主义国家。于一六一八年，组织荷兰西印度公司（The Dutch West India Company），在纽约附近，设新亚姆斯特丹（New Amsterdam）殖民地，与土人进行皮货交易（Fur Trade）。以后因皮货交易衰落，大部分荷兰人，转入于农业之中。到一六四四年，新亚姆斯特丹被英国夺去。到一七九〇年，荷兰西印度公司便瓦解了。

法国在美洲的殖民本是一五一八年在萨布尔岛（Sable Island）开始的。但到十七世纪之初，始获得殖民的效果。当时设立许多商业公司，从海岸渐次深入内地，以伊里诺斯（Illinois）为最繁荣，约有二千到五千法国人在那里活动。一六九九年，最初的大殖民地设于下部路易斯安那（Louisiana）的皮洛克西（Biloxi）。到一七一八年，建设新奥尔良（New Orleans）。其他许多殖民地，则在密士失必河（Mississipi）上流，雷德河（Red），阿拉巴玛河（Alabama）两岸。不料七年战争（一七五六——一七六三年）的结果，缔结《巴黎条约》，法国将布里敦角岛（Cape Breton），加拿大（Canada），密士失必河以东的殖民地尽让归英国；新奥尔良，密士失必河以西的殖民地尽让归西班牙。这样一来，法国在北美的殖民便一蹶不振了。

可是，在北美殖民得到最后胜利的是英国人。他们不独排斥了西班牙，排斥了荷兰，同时，又排斥了法国。一六四〇年左右，在北美的全部英国人，约为二万五千，其中有百分之六十住在新英格兰（New England），其余大抵住在维基尼亚（Virginia）地方。一七〇〇年左右，增到二十六万二千人；一七六〇年，增到一百五十万人。人口最稠密之区是维基尼亚，宾夕发尼亚（Pennsylvania），北卡罗来纳（North Carolina），马萨诸塞（Massachusette），纽约，马里兰（Maryland）。

这些欧洲的“客人”，趾踵相接的移殖新大陆，同时，也把欧洲的“文明”携带到新大陆，使循着历史顺序发展的美洲处女地起了空前未有的变化。从此，美洲的“主人”——印第安人——便饱受白种人的蹂躏而遇到最大的不幸了！

第二节　英国在美洲的殖民地

北部殖民地

前面已讲过，在北美殖民得到最后胜利的是英国人。现在应将美洲的英国殖民地加以扼要的叙述；为便于说明起见，不妨按照天然气候及社会经济发展的特点，把英国殖民地分成北部，中部，南部。

北部殖民地即新英格兰，包含新罕木什尔（New Hampshire），缅因（Maine），康涅狄格（Connecticut），罗得岛（Rhode Island），马萨诸塞等处；位于大洋之滨很狭窄的山地间，气候很坏，不适于农业，但近海而有利用水力的便宜（后来所以能成为工业都市者，实因可用水力来举办电气事业之故）；也没有到内地去的道路，人口只集中于海岸，与其他大西洋岸的殖民地隔离。从十七世纪初叶起，移殖到此者多为商人，水手，小场主及手工业者，他们多半属于英国中等阶级，都是被压迫的清教徒（Puritan）。这里主要职业是经商，与土人交易皮货，贩卖甜酒（rum）及非洲黑奴。他们主张自由贸易，换言之，便是漏税偷运。清教徒在利益之前，也化为贪得无飨的"市侩"了。然以地势的隔离性与清教徒来美者之减少（因一六四〇年，英国清教徒在国内斗争得到相当胜利），所以非谋独立自存不可，于是家庭工业，渔业，造船业，亦兴盛起来。这种经济独立性，使其在经济上渐渐脱离宗主国的依赖，以此唤起政治独立的要求。一六四三年，他们已有政治的组织，叫做"新英格兰联盟"（New England Confederation），有些人甚至称之为美洲民主主义的摇篮。可是这种观察是错误的，因为该联盟重视阶级的差别，有土地的人才有发言权，教会势力非常之大，甚至绅士与农夫，劳动者，仆婢的衣服，其颜色亦彼此不同，显然带有贵族性质。但无论如何，他们已有政治的组织，比起其他殖民地，总算是先进的。没有加入联盟的罗得岛，则有较为民主的制度。

中部殖民地

中部殖民地是指纽约，宾夕发尼亚，新泽稷（New Jersey），德拉瓦（Delaware）而说的。气候温和，土地虽不如南部冲积层的肥美，也不像北部岩石质的瘦瘠，因此，既没有出为渔业的必要，又没有田庄（Plantation）的便利。居民常从事农业与畜牧，到处有独立的小农庄，大规模的经营却不多见，奴隶劳动也很少。城市商业极发达，纽约有皮货，木材，与其他商品出口。故中部殖民地的居民，大抵属于富裕的小资产阶级，为美国产业发展的重要因素。

当时纽约为海盗的巢穴，即掠夺物的分赃处。那些海盗是以西班牙与荷兰的商船为其主要对象的。纽约附近亦与北部殖民地相同，阶级的差别很厉害，结果，一六八九年，曾发生过有名的林斯勒（Jacob Leisler）的武装暴动。林斯勒率领小店主，小农，水手，职工，起而反叛，把英国的知事打倒，一时掌握了地方的支配权，但不久为英国的援兵捕获处死。“若是林斯勒百事顺手，如愿以偿，则他的名字，当与纽约州代议政体的确立，及民主主义最初的胜利，成为不可分离的关系了。”[1]宾夕发尼亚的民主制度为各地之冠，该地禁止使用奴隶，宗教信仰也很自由。

南部殖民地

南部殖民地则为马里兰，维基尼亚，南北卡罗来纳等处，气候极暖，土壤极良，所以成为大土地占有制及殖民地田庄经济的中心。就中尤以维基尼亚为首出一指，该处有森林环绕，至被称为森林的威尼斯（Venice）。栽培烟草极一时之盛，维基尼亚人对于他们的财产及一切所有物的价格，是以烟草来估计的，烟草简直成了通币。烟草的栽培以奴隶为必要，所以奴隶制度与该处结了不解之缘。从非洲贩运来的黑奴，大半是田庄间的工作者，其数占全体居民的五分之三。统治阶级则为农业

[1] 见《美国史上的社会势力》，五三页。

贵族，英国清教徒战胜保王党的结果，以致保王党都向维基尼亚来亡命。他们在本国兼有财富与权力，到了维基尼亚之后，亦挟财富与权力以俱来，于是成了田庄的主人，成了奴隶的主人。在农业贵族支配的地域，独立的农民与工商业资本家都几乎绝迹了。

另一方面，维基尼亚烟草业的发达，与伦敦公司（The London Company）的利益是分不开的。当时英皇詹姆士第一（James I，1603-1625）不愿意伦敦公司在维基尼亚博得大利，加之美国最初代议机关的市邑议会（House of Burgesses）又是一六一九年在维基尼亚设立的，所以，詹姆士第一把该处的伦敦公司看做“培养议会制度的苗床”，而将其特许状与一切特权取消。这样一来，维基尼亚也与北部新英格兰一样，非谋独立不可。

各殖民地的相互关系

北部，中部，南部各殖民地，相距颇远，在初期各营自给自足的独立生活。但随着工商业的发达，相互间的贸易大为增加。例如在南部从事劳动的黑奴，是北部商人所供给的；南部以栽培烟草为主，对北部与中部的产业不能不有所依赖；同样，北部与中部的商人又多以南部的烟草，谷米，麦粉为利源。因有这些经济的原因，于是以前孤立的北部，中部，南部诸殖民地便接近起来，结合起来了。一六九三年，设立邮政制度，在促进各殖民地的统一上，很有效力。邮政起初是个人经营的，到一七三八年改为公办，甚至延长到加拿大，在主要的都市之间，都有定期的邮政路线。

更提高殖民地的独立心的，是军事组织的发达与有了战胜的自信。在奥大利王位战争（The War of Austrian Succession，1744-1748）中，新英格兰的军队，攻下了法领加拿大的路易堡（Louisburg）。又在由七年战争所引起的法印战争（French and Indian War）中，华盛顿（Washington）率领殖民地军队，进攻法领度垦（Duquesne），比英国派来的军队得到更优良的成绩。这两次战役，不仅增进殖民地军事的经验，并且鼓起殖民地作战的勇气。

此外，如各殖民地协力与北美土人争斗，也是促成统一的原因之一，不过主要的原因，仍是由于经济的发展而不得不要求联合，经济的脉络把散漫的殖民地统一起来了。

第三节　殖民地与英国之间的矛盾

英国的殖民政策

各殖民地的工商业既有蒸蒸日上之势，即是说，它们在经济上已奠定独立的基础。在这种经济基础之上而形成政治上的离心运动，不仅是可能，而且是无可避免。到十七世纪下半期以后，英国对北美殖民地所采用的政策，更促进政治上离心运动的发展，无异把两国之间最后的纽带用刀剪断。

从英国的殖民政策看来，殖民地只为宗主国的利益而存在，助宗主国以一臂之力是可以的；如与宗主国的商业竞争，这是万万不能容许的事。所以，殖民地对于宗主国应负一种义务，即供给宗主国以其所没有的商品，使之富裕起来。以宗主国为主，以殖民地为副，将整个殖民地商业握在手里，攫取殖民地的原料，并用一切方法以遏抑殖民地工业的发展。这样一来，宗主国便成为束缚殖民地的桎梏了。

赋税烦苛

一七六三年法印战争后，英国对殖民地的政策简直是公开的挑衅政策。一七六四年所颁布的《糖税条例》（*Sugar Act*），对外国输入殖民地的糖和蜜，征收重大的进口税。同时，英国的战舰常常泊在沿海各岸，阻止"秘密贸易"（Smuggling）的进行。英国收税员有权搜索私人住宅，以寻私货。这样取缔秘密贸易，即是给新英格兰的商业以极厉害的打击。继《糖税条例》而起的，有一七六五年的《印花税条例》（*Stamp Act*），规定一切新闻纸，小册，及合法文书，如地契，遗嘱，押契，支票等，均须贴自一分至五十元的印花税，这个条例，引起一般人民反对，尤其是商人与律师，觉得每日贴用印花，实太烦琐，对英国政治常发不平之鸣。

抗英运动

自《糖税条例》,《印花税条例》陆续颁布后，律师们都诋毁赋税，有奥替斯（James Otis）者曾宣言"无代表权者而征税是为暴虐"。又一律师名亨利（Patrick Henry）者更勇敢的警告英皇，请其注意查礼第一

（Charles I——一六四九年被处死刑的英皇）的遭遇，英国官吏私邸，常被人纵火，几无宁日。在印花税实行之日，商界罢市，停止贸易；成千成万的人互相约定，不取消印花税，则永久实行排货（Boycott）。九处殖民地的代表在纽约开会，正式否认英国在美洲的征税权。著名的富兰克林（B. Franklin）更明白说："殖民地人民永不会屈服于印花税之前，除非用武力来压服。"在抗英怒潮高涨之下，《印花税条例》在一七六六年撤消了。不久，英国又颁布《驻营条例》（*Quartering Act*），将驻在美洲的英国守备兵的灯火，营塞，与燃料，概归殖民地来负担。到一七六七年，又强行《坦增德条例》（*Townshend Act*），课税于玻璃，纸，绘具，铅，茶等。因此，引起一七六八至一七六九年第二次排货运动。结果，英国输入美洲的商品为之锐减。到一七七〇年以后，英国亦将这些捐税撤废，只有茶税还继续存在，所以抗英运动仍未终止。到一七七三年十二月十六日，遂酿成"波斯顿茶帮"（Boston Tea Party）的暴动，把英国东印度公司三只茶船所载三百四十二口茶箱投于海中。英政府曾封锁波斯顿以为报复，于是又发生第三次排货运动。到此时，英国与美洲殖民地已立于短兵相接的阵前了。

第四节　美国独立战争的爆发

战争的领导者

谁都知道美国独立战争，是真正的革命战争，其影响非常之大，甚至有人说："十八世纪的美国独立战争好像警钟一样，敲醒了欧洲的中等阶级。"[1]不过，在战争酝酿之际，殖民地的大多数人，并不存心于革命，更不存心于政府的建立，他们似乎不了解自治政府的学说（Theories of Self-government），其目光只注意到赋税问题，只希望英国政府在未得到殖民地议会同意之前，不得任意征税。换言之，他们依旧承认英皇是殖民地的君主，也可说是效忠于英国的人。这是当时的保守派。

可是，坚决主张为独立而战者只有殖民地的工商阶级，他们虽是少数，然而活泼，勇敢，意识到自己的目的，并有贯彻目的的决心。这也许是正在抬头的新兴阶

[1]《资本论》，第一卷，第一版，序。

级之特性吧！“未来”是这一阶级的世界，所以他们所选定的路线，毕竟决定了美国的命运。他们是独立战争的领导者。

当时有一个住在美洲的英国人，名叫佩因（Thomas Paine），对殖民地的民众极表同情。他于一一七六年一月在斐列得尔斐亚（Philadelphia）发行一本小册子，题曰《常识》（*Common Sense*），内面有这一段话：

> 时候到了，殖民地须坚决的与英国作最后的分裂；没有理由能使殖民地的人民仍旧归服在英皇治理之下。国王究竟没有神授特权，可以治理人民，管辖百姓；国王不过是盗而冠者罢了。假如他们有无限权力，那他们就变成专制魔王；倘若他们是立宪君主，像英国的国王一样，那他们不过是化钱的傀儡罢了。

这本小册子出版的时候，正值民众心理非常激昂，而英国又调派大军到美洲来镇压，和平解决已不可能。在暴风雨的前夜，《常识》销售非常迅速，读者真不知有多少？殖民地人民因此深深懂得，英皇并非神圣不可侵犯的国王，他们为独立而战，原是合理的事。

战争的经过

在独立战争快要爆发的一七七四年，第一次大陆会议（Continental Congress）在斐列得尔斐亚举行，除佐治亚（Georgia）外，有十二州代表五十三人与会，决议：到获得自治权为止，与英国断绝通商，即出于用兵亦所不惜。一七七五年四月，第二次大陆会议，决定对英宣战，并推华盛顿为总司令。马萨诸塞的市民军先与英军开火。接着又在波斯顿交战。英军总司令任命豪大将（Sir William Howe）以代给治（Gage）。豪大将为民权党员（Whigs——自由党的前身），属于工商阶级，他相信资产阶级是未来的主人，所以对美国资产阶级的抬头颇具同感；又相信以武力镇压是不可能之事，所以当时虽率领五万精锐的大兵，超过美国兵力五倍以上，但不积极作战。因此，豪大将被召回国听候查办了。后来从加拿大派来的柏圭因（Burgoyne）援军，被美军打得落花流水。豪大将的归国与柏圭因的战败，沮丧了英国的士气。

加以法国，西班牙，荷兰诸国与英为敌，用货币，军火，军队援助美国，英军已陷于“四面楚歌”之中。到一七八一年英将康华理（Cornwallis）在约克唐（Yorktown）投降华盛顿，于是胜利之果便落到美军之手。

《独立宣言》

在美国独立战争中，曾发表过一篇千古不朽的宣言，称为《独立宣言》（*The Declaration of Independence*），出于哲斐孙（Thomas Jefferson）的手笔，在一七七六年七月四日为大陆会议所采用。这篇宣言实为宣布德谟克拉西（Democracy）各原则的第一个文件。宣言的出发点是：凡人皆有其天赋的不可侵犯的权利，即生命，自由，求幸福等权。政治目的，在使这些权利得到保证，而政府的权力也只是从国民得来，倘若政府不能执行职务，人民有权撤换这个政府，于必要时得诉诸武力，这乃是革命的特权。宣言上历数英国王政的各种黑幕，并宣布殖民地的独立。哲斐孙更进一步说：“自由的树，常常要用志士与暴君的碧血来灌溉它。”

外国的援助

前面已提到法国，西班牙，荷兰诸国是与英为敌的。尤其是英法两国关于海上霸权的争斗，有长期的历史。从一六八八年到一七六三年之间，英法打过四次仗，结果，法国大败，主要的殖民地都丧失了。不待言，法国是要寻仇报复的。果然，在美国独立战争中，便授法国以反英的机会。从一七七七年美军在萨剌托加(Saratoga)一战胜英之后，法国即与美联盟；次年，即对英宣战。西班牙与荷兰不久亦与法联络。其他欧洲国家也恨英国在战争中借口搜查来劫掠中立国的船只，于是共同组织一个武装中立联盟（League of Armed Neutrality）以保护自己的航业。这样一来，英国除应付美国外至少须与法国，西班牙，荷兰几个强敌周旋。同时，爱尔兰也乘隙思动，英国国内人民又不是全体赞成与殖民地开战。在内外牵制的局面之下，英国就不能以全力来削平美洲的“叛乱”了。这一点，给美国独立战争以不少的幸运。不过，法国在这次战役之后，虽然眼见英国最大的殖民地宣告独立，但自己只恢复僻小的殖民地两区，而又耗去大批军费，以致财政破产，促进国内革命危机的成熟，这也许是法国政府梦想不到的吧！

第五节　美国独立运动的结果

政治上的结果

从政治方面说，丹麦，俄罗斯，瑞典，普鲁士，奥大利，葡萄牙，西班牙都先后承认美国的独立。英国在康华理投降后，代表工商阶级的民权党，对于代表封建贵族的保王党（Tory）得到胜利，也在一七八二年二月二十七日，有下述决议案提交议会通过："对于美国再继续作攻势的战争，在目前情形之下，只是削弱英国的实力，以利欧洲的敌人；在英美两国之间，只是增加致命的相互的敌意，此外什么利益也没有。这是议会的意见。"所以，一七八三年九月三日，英国终于在凡尔赛承认北美合众国的独立了。

以上是就对外关系说的。对内呢？在独立战争爆发之初，虽有由各州代表组织而成的大陆会议，管理军事与外交，只不过是临时的机关。及至一七八一年，战争快要结束，方有宪法的制定，叫做《同盟公约》（*Articles of Confederation*)。但在事实上,《同盟公约》并没有造成联邦，因中央机关空洞而无权力，不过是各个独立共和国之公会而已。当时商人与工业家需要建立一个强有力的集中的政府，能够订立适当的商约，实行保护税，以保障自己的利益，所以要求重新审查公约。至于城市小资产阶级与小农，却不欢迎强有力的集中的政府，恐怕因赡养国家机关与军队而加重负担。最后以工商阶级及田庄主人的强求，遂于一七八七年，在斐列得尔斐亚召集宪法会议，编定新宪法。宪法会议代表的选举，其财产限制很高，三百万居民中，只有十二万人能参加选举。结果，这些工商阶级与田庄主人的代表就把宪法制定。根据宪法，由两院组成国会，为最高立法机关，下院议员按照各州人口比例选出，上院议员则各州数目相等。国会有权采取某种对外政策或商业政策，可与外国签订条约，及决定关税，画定各州疆界等权。其他问题，各州仍保有完全的独立性，但违反联邦宪法的法律则不准采用。执行权属于大总统，四年一任，受上院监督，得上院同意才可以缔结条约，委任共和国官吏。宪法规定最高司法权(大理院)也有权增制合乎宪法的新法律;

倘认为某种法律不当，可以判断将其废止。除了宾夕发尼亚及罗得岛两州之外，其余各州的宪法都把选举的财产限制定得很高，因此，大多数劳动者仍与政治绝缘，而脱离宗主国压迫的新共和国，就只以工商阶级为主人翁了。一七八九年选举华盛顿为第一届大总统，各殖民地便建设一个正式独立的国家。

经济上的结果

美国独立，不仅在政治上展开了新的局面；并且在经济上启辟了新的坦途。美洲本是新发见的“世外桃源”，其历史过程中没有什么封建制度时代，就这一点说，可算是培植资本主义的沃壤。随着欧洲人移殖过来的封建遗物，在这次独立运动中，都一扫而空，政权从保王党的封建阶级之手移交新兴工商阶级之手，经济发展的障碍既彻底打破，则资本主义蓬蓬勃勃的生长，本是当然的事。所以，四十年间（一七六〇至一八〇〇年），美国人口从一百六十万到五百五十万，增加三倍半。一七九〇年出口货价值不过二千万金元，至一八〇〇年增加到七千万金元；入口货也从二千五百万金元增加到九千万金元。北部各州的工场手工业极为发达，蒸汽机也应用了。南部各州成为产棉花的中心，棉花运往欧洲消售，生产额继长增高，一七九〇年不过二十万磅，一八〇〇年增加到二百万磅，一八一〇年则增加到四百万磅。这样飞快的速度，在资本主义国家的历史上是没有先例的。

美国革命的意义

美国的独立运动——或者说美国革命——是民主主义运动史上最重要的一页。在独立运动中握有领导权的是殖民地的工商阶级，他们很坚决的与宗主国争斗，相信以武力颠覆旧的统治，乃是革命的特权。这次争斗的成功，即是美国资本主义发展的第一步。而由欧洲移殖过来的阻止资本主义发展的封建残滓，都葬送于独立战争的炮火之中了。尽管有人说："通观许多事实，可以知道美国革命是一种商业革命。它不是为解放美国劳动者的革命，只是为使美国商人得以自由榨取的一种争斗。……纵令这次革命标榜了自由，平等与正义，但那也不过是革命的商人指导者为自己的利益而使用的理想化的词句。”[1]可是，美国独立运动在民主主义运动史上仍有不可抹煞的意义，至少也与欧洲各国的民主革命，尽了同一的功能。果真如前面所说“十八世纪的美国独立战争好像警钟一样，敲醒了欧洲的中等阶级”，那么，美国独立运动就是法国大革命的前奏曲了。

练习问题

（一）美国脱离英国而独立有无经济基础？

（二）试述美国独立战争的远因与近因。

（三）美国独立运动胜利的条件如何？

（四）估计美国独立在革命史上的性质与其意义。

参考资料

（一）《美国社会势力发展史》（神州国光社）

（二）《美国资本主义发达史》第四第五两章（新生命书局）

（三）《近代世界史》第十一章（世界书局）

---

[1] Unmermaun：*World Revolution*，Chap.V.

第三章　法国大革命

第一节　革命前的经济组织与社会结构

农村经济

在英国已收获了工业革命之果的时候，法国的工业革命才慢慢的开始；所以到十八世纪末叶，法国还是一个农业国家。全国人口二千六百三十七万三千人，其中有二千四百万人（占全数的百分之九十一）住在农村；城市除巴黎（有六十万人）及里昂（有十三万人）外，其余都是小城市；一般说来，总算农村占据优势。法国农村经济的特点，是小农及大地主的田庄同时并存，与英国的地主农业之压倒小农者不同。各省农民所有的土地，从百分之三十三到百分之六十。国王，贵族，教会都是大地主，土地属于国王者约占五分之一，属于贵族与教会者约占五分之二。地主把自己的土地分成二三十段租给佃农，但普遍的情形则由地主租给包租者，再由包租者分成小块租给佃农。教会土地大半也是租给佃农。地租非常重，约占收获之半。农业技术极落后，三田制与二田制亦颇流行，有些地方全然不施肥料。在革命前一百年之间，每一公顷（Hectare）的生产量，没有什么变动。但在资本主义侵入农村的过程中，农村经济商品化已成显著的现象。粮食价格腾贵，土地出产也更值钱。十八世纪中叶，每一公顷的出产有十五佛郎，至革命初则有二七点六六佛郎了。同时，资本主义又使农村的人民分化，公社土地绝迹；另一方面，贵族日趋破产，入款不敷，不得不借债，最后就不得不把土地卖给资产阶级。

都市工业

十八世纪之末，法国工业最主要的还是小生产，雇用两个至十个工人的企业极普遍；雇用百人至百五十的即算大企业，雇用五百人以上的真是少有。最大的企业如巴黎王室的制毡厂，凡罗比的制呢厂及玻璃厂，都有几千工人。家庭工业很发达，有些手工工厂附近，许多手工业者在自己家里工作，里昂的丝业就是这样组织的。大商人拿原料发给手工店主人，店主人再交给工人制造。当时工业受政府监督，政府定有各种规律，不但注意布呢的质量，并且涉及长短，广狭，经纬，染色等等。在革命前十数年，不大知道英国的机器；到一七七五年，始采用织布机与哈格里佛士的纺纱机；到一七八九年，机器之用渐广。所以说，法国的工业不是大机器的，而是布满乡村的家庭工业，以此工业在乡村中的发展更超过于都市。每当收获之际，都市织机的一部及乡村中的全部都停止工作，一般说来，织机工作的时候，每年约有八个月。家庭工业之占优势，使法国在工业方面仍是一个经济落后的国家。大企业只有矿山，毛织工厂，码头及船上用的绳索工厂等。

国内贸易

国内贸易的特点，就是当时法国在经济上还不是一个统一的国家，各区域俨如独立，各有关税制度。货物经过各省边界，各地方，各城门，各河干，都要征税，有的缴入国库，有的吞入私囊。从奥尔良（Orleans）运一桶酒到诺曼底（Normandy），价格增高了二十倍；反之，从中国运来的货物，比原价仅高三四倍而已。但自十八世纪二十年代起，国内贸易发达极速。在革命前五十年间，建筑宽大的马路长至一万英里。信用事业也兴盛起来。

国外贸易

资本主义的发展，促进法国国内贸易之扩大；以同一原因，又促进其国外贸易之上升。从一七二〇年到一七八九年之间，商业总数增加五倍，特别是出口货所占的比例尤为重要，兹举革命初起时与一七一六年的输出统计如下（单位百万磅）：

年度	农产品	工业品
1716	36	45
1789	93	133

饮料，呢绒，及各种原料为出口货大宗；饮料出口由三千一百万利华（Livre），增到八千九百万利华，但在同时期内，输入法国的纺织品却增了十倍，而其出口只增了三倍，证明法国资本主义的发展是迟缓的。另有

一种大宗的商业，就是黑奴；一七一五年，由殖民地输入黑奴的总值计一百五十万利华，到一七八九年增了四倍以上。从国外贸易发展的过程中，产生很大的都市，其主要者为波尔多（Bordeaux），马赛（Marseille）及南特（Nantes）。一七六三至一七七八年，由波尔多进出的商船有二四五艘，载货七四四六五吨。制酒业极发达，其出品可销行全世界。马赛与地中海沿岸各国及东方贸易很大，输出到东方的商品以呢绒为大宗，使英国货受了排挤。每年由马赛出海的船有一万五千艘之多，从事航海的工人有八万，商品的流转量每年达三万万利华。南特为西部主要都市，对西印度群岛及北欧贸易以此为中心，同时又是奴隶贸易的大市场。

总括起来说：当大革命的前夜，法国正处在从封建经济向资本主义经济转变的过程中，由旧胚壳中发展着的资本主义与包围在其外面的封建遗物发生冲突，即是法国大革命的经济原因。

社会内部的分化

在上述复杂的经济条件之下，不可避免的要引起社会内部的分化。因此，法国人民分成三大等级（Estate）：第一等级是僧侣，第二等级是贵族，两者享有特权；第三等级，包括资本家，手工业者，小店主，智识分子，工人，农民，只有义务没有权利。一般说起，第三等级与第一第二等级是对立的。可是，各等级内部的利害也非常不一致，可说是极百花缭乱之大观。要想了解法国大革命中变化离合不可究诘的内幕，非先把各等级相互间的利害关系加以剖析不可。兹从第一等级讲起。

第一等级

第一等级即是僧侣，约计十三万人。他们拥有异常雄厚的财产，据说，法国全部土地的五分之一落在教会手中，并且是最肥沃的，其价格比任何其他土地都高得多。他们不向国家纳税，只在紧急时才认一种自由税，作为对国家的“礼物”。教会的财产计值四十万万利华，每年从这财产上获得的收入约为一万万利华。此外，教会什一税（Tithes）每年可收一万万二千三百万利华。这些庞大的进款，不待言，是高级僧侣——主教与大僧正——的私有物，他们从贵族出身，稍为在教会里做一点事，便可过“挥金如土”的生活，如主教年俸有领一百万利华，大僧正年俸有领七十万利华者。下级僧侣则与此相反，每人年俸不出三百利华，在极端的穷困之下生活着，住在矮小的茅屋内，差不多要饿死。他们不觉得自己是属于特权等级的人，因为生活无改善的希望，自然会被引到第三等级方面去。教会中高级僧侣与下级僧侣仇视的情形，在后来三级会议中表现得异常明显。被选的教会代表当中，属于高级的代表八十三人，属于下级的则有二百零八人。后者与第三等级联合，给封建制度以最后的打击。

第二等级

第二等级就是贵族，约计十四万人。照他们的经济关系说来，也并非是一样的。就中以宫廷贵族尤享特权，他们拥有广大的封地，靠佃户纳租与年贡以过其骄奢淫佚的生活。有些盘踞要津，作威作福，就是辞去政治职务，仍可用各种名誉头衔领取巨额的津贴，这种支出在国家预算中占颇大的数目。有些在军队中任高级军官，这可说是贵族的特权（下级军官则从庶民中选拔），称为“贵族剑”。国家供给他们每年要耗费四千六百万利华，其余的军队反只需四千四百万利华已够用。其次，是官僚贵族，称为“贵族外套”。他们大抵是最高法院的官吏，平时有权可以接受或拒绝国王的命令。倘使他们反对国王的命令，往往提出抗议，并将其抗议印发以售于人民，所以，在某种情形之下，有离国王而独立的力量。正因为如此，他们在执行职务中，全以个人的利益为重，任何解职的恐怖，任何高升的诱惑，都不发生什么影响。他们不以自己经常的合法的收入为满足，因而滥用自己的地位以图发财。于是卑污，贿赂，贪婪……成为流行的风气。这些官僚贵族利用自己保障人民权利的可能以为剥削人民的基础。第三，是地方贵族，即中下等贵族。他们与前面两种贵族——宫廷贵族与官僚贵族——不同之点，就是住在乡村堡寨之内，照其本质说，也是一个农民，不过比较高一层罢了。他们不负重大债务，而又生活简单，无需加农民以额外的剥削，每年收入，平均不出五百万利华。他们关心自己区域内的交通，并维持其治安；解决农民间的纷争，并惩治其犯罪者，有时保护自己区域不使受外部敌人的侵害，就是皇帝的收税吏，要求过于苛刻，也起而驱逐之。因此，对农民的关系不甚恶化。他们不是绝对无条件的服从王权，看了宫廷贵族的奢侈豪华，自然是羡妒同生；朝廷一切恩泽，半点得不到，自然有不可遏抑的愤懑。甚至新加的赋税也有些落到他们的头上。所以，他们不得不要求国家经费开支的节约，主请改革财政，以等级代表监督之。由此可见贵族分成两个对立的集团：一方面是宫廷贵族与官僚贵族，他们是拥护现制度的；另一方面是各地方的中下级贵族，他们是君主专制政体的反对派。

第三等级

立于第三等级阵前者是大财政家，他们占有一切信用借贷机关，承办国家各种赋税（如盐税，关税，烟酒税），同时又是国家的债主。以这些利害关系，使他们成为旧制度的拥护者。他们期望贵族特权的保存，如债权者期望其债务者不陷于破产一样。如果封建剥削取消，则多数贵族不免破产；如果财政改良，则赋税承办制不能继续；如果国家预算出入相抵，则每年便不举债，这些都与大财政家不利。固然，他们对于政府也有不满意之处，但其要求不过希望政治稍为清明一点，及整顿国家用度，使其利息的收入得到保证而已。

其次，工商业家——中等资产阶级——是与大财政家对立的。他们的基础建立在几个大都市上，如马赛，波尔多，里昂，南特等处，封建特权与行会条例的存在，是工商业发展的桎梏。所以，他们在旧制度中认清楚妨碍自己经济活动的敌人。要想工商业繁荣起来，就必须破坏贵族的特权，取消国内关税，节省国家不生产的耗费，以及减轻那些削弱人民购买力的苛税杂捐。总之，工商业家是渴望“自由与平等”的。然而也有一部分的工商业家却成为例外，他们从事妆饰品的生产与交换，当时如丝织品、毛毡、瓷器、香粉……非常之多，都在宫廷贵族与特权者当中取得良好的消费者。这一类的人，在革命的紧急关头都跑到反对方面去了。

其次，手工业者，小店主——小资产阶级——在法国人口中占很大的数目，在革命上亦有很大的作用。他们在旧制度之下，受了忍耐不住的负担，所以咒诅旧的统治，也不后人；然而他们又不赞成资本主义的发展，因为机器是排斥手工业的，大商业是摧毁小商业的。因此，便决定了小资产阶级的两重性，一方面同情革命，一方面又害怕革命，在革命时代就不可免的要动摇起来。

其次，智识分子本不是一种特殊阶级，而是代表各种阶级利益的。法国革命前的智识分子，其中有教会的代表，在承认上帝的原则上，以为封建制度的不平等应当维持；又有些法学家，根据当时的法律，要保存往昔的特权，不使失坠。但因资本主义生产方法的发展，便有许多新的智识分子应运而兴，他们再不愿在旧制度内讨生活，一变而代表资产阶级的利益。“智识分子所从事的职业，使其本身发展着一种一般的与逻辑思想的能力，此种能力给他们以关于过去及现在社会与政治关系的智识；因此，智识分子乃是资产阶级之基本的与主要的利益代表者。……法国大革命将政权交到他们的手中，同时，给了他们以实现其理论的可能。在法国皇室贵族及与之相关的财政贵族败亡之后，法国便只有一个阶级能够管理国家大事，这就是资产阶级的智识分子。”[1]

又其次，在第三等级中间也参加有体力劳动者——工人，当时，虽然有近代的普罗列塔利亚，但从事手工业者的工人却非常之多。乡村中手工业者，工资极低，生活极苦。至于都市工人，完全受行会条件的支配，有三种阶层：老板，伙计，及徒弟。老板是剥削者；伙计与学徒是被剥削者，他们痛恨一切特权。此外，还有雇佣工人，码头工人，是当时无产者的大部分，深深感受旧制度的压迫。即手工工厂的熟练工人，普通劳动时间是十二小时左右，甚至有达到十五六小时者。因此，所有一切工人都成了旧制度的反对派。一七七四年与一七八六年，里昂工人曾先后发生过要求改良待遇的罢工运动，都被军队镇压下去。

最后，还有农民也是第三等级构成分子之一，他们散处乡村，陷入孤立无援的地位，旧制度下的牺牲者。农民耕种的土地，贵族可以任意打猎。到了收获期，不能径将谷物运到家里，必须留在田野让收税吏点验捆数以决定纳税的数目，如果在这种手续未完结之前而遇

[1] Kautsky：*French Revolution and Class Struggle*.

到坏天气，只有听其腐烂。农民最感痛苦的是各种税，国王，僧侣，贵族，地主……都以农民为榨取的对象。有人计算，在负担最重的地方，农民每收入一百佛郎，必须向国家纳五十三佛郎作为土地税，人头税及所得税，向地主与教会各纳十四佛郎作为什一税，剩下的十九佛郎，又要支付盐税，消费税等。所以，法国农民大半生活于啼饥号寒的悲惨状况中。遇到荒年，只有往死路上走。一七七五年，因为收成不佳，物品昂贵，农民迫于饥寒，便发生大暴动。大批农民蜂拥到凡尔赛去，要求国王赈济。结果，被武力驱散，且绞死两人以示"薄惩"。克鲁泡特金（Kropotkin）在其所著《法国大革命史》上描写农民的苦况说："大群的人民流为乞丐，五千，一万，或两万的男女老幼成群结队的在各省的道路上逃难。一七七七年公布的乞丐数目为十万人。在乡村中灾荒变成恒久的现象，它的间断期间是很短的。它使一些整个省份杳无人烟。农民是成千成万的由他们的省份逃出，希望在别处找着较好的环境，但是很快的他们知道这是幻想。"[1]在这样的悲惨命运之下，农民的反抗情绪

[1] 中译本，上卷，一九页。

自然达到沸点以上了。

这是法国大革命前夜一幅社会结构的解剖图。

第二节　革命前的政治状况与社会意识

巴士提尔狱

法国的政府完全是专制的。它的任务，好像只在替宫廷及其宠幸筹集款项，以供挥霍，为特权阶级保持特权，并且用暴力消灭每一种不满意的骚动。法国人民身体自由最受恐吓的，就是那恶名素著的“逮捕文书”。无论什么人如为宫廷及其宠幸所不喜，即可用这种文书将他们投入巴士提尔（Bastille）的国牢中。谁要是被加上直言无忌的罪名，谁就要打算照着侦探所指示的，销声匿迹于巴士提尔的高垣坚垒之内。著作家如果描写公众受虐待的情形，他自己即有被投入巴士提尔的危险，他的著作也有被焚毁的危险。谁不为宫廷的宠人或宫廷的贵妇所悦，即可以无缘无故，饱尝铁窗风味。有许多人连年累月坐在牢中，从没有受过一次审问，也不知道是为什么。有一个囚徒坐在巴士提尔十六年，他向君主递上一张呈文，要求人将监禁他的原因告诉他，否则至少也要将这十六年来他的妻子儿女的情形告诉他。这便是暗无天日之一例。在巴士提尔狱中，可以看见许多有体面的人物。然而这样的牢狱在法国还有许多，不过巴士提尔是其中最著名的罢了。

横征暴敛

专制主义既用“逮捕文书”处分法国人的身体自由，又用各种苛税来处分他们的财产，至于这些苛税，不管“三级会议”怎样反抗，终究是要实行的。贵族与僧侣是免税的。国家负担全加在“第三等级”人民身上。各项税捐由政府以一定的数目包给征税人，这些人为自己的利益计，便向民间尽力诛求，锱铢必较。他们用最残酷的方法对待纳税人，因此人民对于征收者非常痛恨。特别可恶的是盐税，每个法国人一超过七岁，每年必须向国家买盐七磅，有大批贫民因为没有照办，即被查抄。因盐税而被查抄的，每年约有四千起。因征税而被逮捕的，每年约有三千五百起。在许多地方，被捕的人民要受鞭打，甚至于受枷刑。于是贫民铤而走险，大批的乞丐流氓盗贼遍布全国，时常与警察格斗。各地有五万个稽查漏税的人，防止那因重税而发生的私运。每年杀戮的人为数不可胜计；有被车碾的，有被斩首的，有被绞死的，有被焚烧的，有被火钳烙死的，也有被零刀碎割的。杀戮的方法，可谓极残暴的能事。

宫廷贵族的浪费

然与这种大众困苦相对照的，就是宫廷与贵族的浪费。王室费在当时是很巨大的；一批趋附权势者，阿谀取容者，冒险投机者，及一切扈从都依赖宫廷与贵族的恩赐为生活。他们常得到极大的俸给，这是从王室费中支出的，结果是从国库支出的，没有一丝一毫不是劳苦人民的血汗。宫廷中约有一千五百个阔人。单是每个王室小孩的女师傅每年的俸给都有一十五万佛郎，由此可以想见宫廷“挥金如土”之一斑。当路易十六（Louis XVI）时代，一个国家秘书，伸诉苦况，说他每年的俸给十六万佛郎实在不够，于是马上获得四万佛郎的加俸。总而言之，辛辛苦苦的人民，不免啼饥号寒，受尽政府官吏及警察的压迫，而一般宫廷贵族及官吏反倒挥霍无度，骄奢淫佚，暴戾恣睢。革命的火焰，怎得不熊熊的烧着呢！

王后干政，财政紊乱

这时候的法国君主路易十六，又是一位软弱无能的人；差不多王朝一切的大政，都为王后马丽安托列特（Marie Antoinette）所操纵。王后是奥国皇帝约瑟夫第二（Joseph Ⅱ）的姊妹，是绝对亲奥的人物。因她具有旧时代的骄气，凡路易十六对于新的改革，无论怎样微小，总是为这个顽固的王后所反对；所以这个“奥国妇人”，甚为法国人民所痛恨。革命时期，巴黎市民绘一只虎身人面的怪物，将王后的面容嵌在这个怪物的头部，题为“奥大利的虎”！亦可见马丽安托列特之为国人所痛恨的程度了！路易十六的大臣如毛黑巴（Maurepas），列克尔（Necker），卡洛列（Calonne）等等，都只知师法暴君污吏的故智，将法国的财政愈弄愈糟。而重农学派的图尔角（Turgot）虽曾一度任财政大臣，主张改革财政制度，但终为宫廷贵族所反对而罢职。此后一暴不如一暴，财政愈为紊乱，民生更加痛苦。路易十六及宫廷贵族还在日夜宴乐，粉饰太平。像这种主持政治的人物，在人民极度困苦的时候，又怎得不激起暴烈的革命呢？

时代意识的作用

法国旧政治的黑暗，从上面简约的描写中，也画出一个轮廓。老实说，这种旧政治制度在新时代之前已失掉其存在的根据。在旧政治制度下呻吟的人们不可不建立一种新政治制度以代之。要建立一种新政治制度，不可不在头脑中预定一种新政治制度的模型。所谓“政治制度是反映经济关系的。但这些反映经济的政治制度要能实现，必须先以某种观念形式经过人的头脑”者是也。法国大革命无疑的宣布了一种新政治制度，这种新政治制度固然有其经济基础，同时也可说是时代意识的反映。克鲁泡特金说：“两个大潮流准备了和造成了法国大革命。其一，思想的潮流……其二，行动的潮流……”关于行动的潮流，留待后面叙述，在这里先将思想的潮流略加说明。不过，像黑格尔（Hegel）一类的人，把思想估价太高，甚至说“法国革命是思想的一种行为”，这种意见是不正确的。

福禄特尔

第一个富有新时代意识的是福禄特尔（Voltaire），他是十八世纪最伟大最光芒的哲人之一。其对旧法国的各种批评之中，第一颗致命的弹丸就打在罗马旧教上面，把教会看做一切压迫的根源，一切进步的障碍；所以，提出打倒教会特权，取消教会法庭，没收教会财产，及给予下级僧侣薪金各口号。然由福禄特尔看来，反宗教不过是斗争之一部分，他对国家行政问题，亦多所发挥，提出德谟克拉西的全部政纲：消灭佃奴制的残余，保证人格的神圣不可侵犯，思想出版自由，取消阶级特权，全法国采用一致的立法权，及法庭陪审制等。他向一切东西注射讥讽的盐水，使法国人变成怀疑派，因此将旧偶像旧权威推翻了。他称法国人为"一种老虎与猿子"，他要把它们变成人类。他以很大的勇气与牺牲对旧的残暴行为宣战。他用著名的卡拉斯（Calas）案来指摘司法，骂得狗血淋头。当他的著作被焚烧的时候，他带着讥讽的态度说："焚烧不能算做答复呵！"这句话是对的，只有革命才是他的著作的一种答复。

重农学派

新宇宙观的阐明者在经济学范围内就是重农学派（Physiocrat）——揆内（Quesnay），图尔角（Turgot）及其他在十八世纪中初露头角的经济学家。法国重农学派处在资本主义比英国落后的环境中，其学说注重资本主义农村经济的利益超出工业资产阶级利益之上。这一派的原理注重个人人格的自由发展，主张自由贸易，国家不干涉经济行动。他们以农业劳动为唯一生产的劳动，至于手艺劳动不过将农村经济的生产品换一个形式而已，不能创造任何新价值；商业也相同，不过只能交易而已；所以，整个国民经济都是农业创造出来的。因此，主张一切赋税的重负应该属于农业，工商业的税则当减除，换言之，即是主张给工商业活动以充分的自由。重农学派的理想，在客观上，促进工业资本主义的发展，并除去其一切干涉的障碍。

卢梭与《民约论》

在法国资本主义生产发展的过程中，引起都市及农村居民的贫困，社会愈趋于不平等。在不平等的社会中，便产生了以卢梭（Jean Jacques）为代表的新学派。他以为现代社会不平等，使人与人之间互相争斗，不平等的原因有二：一是都市文明，自从有了都市以后，人类便陷入不幸的泥坑。他曾说过："在大都市中没有道德与真诚，因为住在都市的人都容易欺瞒社会，隐蔽自己的行动；又容易利用荣誉去大发其财。"其次，便是土地分配不均，他证明现代社会一切罪恶及不幸的来源是私有财产，曾说过，"第一个人忽然想到划出一块土地说是我的，并找些头脑简单的人去相信他的话。这个人就是社会及人类不幸的创始者"。虽然如此，卢梭实际所要求的，并非完全废止私有财产，只要使私有者能得到均衡，就很满意了。关于政治问题，卢梭可算是一个德谟克拉西的，人权的思想家，他的政治学说，详见其名著《民约论》（*Social Contract*）中。《民约论》，一译《社会契约说》，在一七六二年出版，风行一时，确是当时革命上精神的武器；没有另外一部书在革命过程中像《民约论》影响之大。所以拿破仑（Napoleon）以后说："没有卢梭，法国就没有革命。"这句话，固然有些过火，但卢梭给予法国革命的影响，拿破仑是充分了解的。《民约论》里有如下的警句：

> 凡人生来就是平等的，自从社会上有人对其邻近用了武力，才发生不平。人类利用社会契约，创造社会组织，每个人都争把自己权利的一部分拿出来交给社会，这个社会契约的根本原则，就是一切公民的共同意见；最高政权只是人民意见的代表机关而已。因此，倘若最高政权错用了所赋的权利，则人民有推翻这个政府的权利。从另一方面说来，社会契约是为保护私产，人格，及公民的安全而缔结的，如果其中有一点为其他一点牺牲了，则此社会契约便应重订，人民有起来革命与反对现存政府的权利。

这样崭新的犀利的学说，在当时黑暗政治之下，其煽动性是很大的。它像大炮一样，把封建的壁垒打得粉碎。

百科全书派

十八世纪下半期，跟着科学的发展，产出了新的思想家，形成一种新的宇宙观——唯物论（Materialism）。狄德罗（Diderot），亚兰伯尔（D'Alembert），费尔巴哈（Holbach）等所谓百科全书派即其代表。他们对一切旧的哲学观点以重新审察及估计，又根据科学的物理机械的宇宙观，为唯物论奠下哲学的基础。他们搜集当时科学所得的材料，编成《百科全书》，而这《百科全书》就成了一部科学，艺术，及工艺的字典。因为书中含有反宗教的性质及发挥自由派的主张，成为新兴资产阶级思想的中心，以此引起封建统治的压迫。"但《百科全书》愈受压迫，则对于革命前发酵状态之第三等级分子的吸引力就愈加强大。"据巴尔比厄（Barbier）说，当时所有小店主与小贩也都阅读《百科全书》，甚至焚毁这种"叛逆"书籍的贵族，因其本阶级思想破产的关系，自己也接受《百科全书》的思想。这一部在国外出版的著作，大批的输送到法国来；但凡落到政府手里的都被拿到议院阶前焚毁了。据当时人所证明，十八世纪六十年代，议会中议员，口头上不仅要焚书，而且要逮捕书的著作者，事实上都搜集这些危险的著作家之著作藏在自己的藏书楼里，而将档案中旧纸焚毁以掩人耳目[1]，其实，《百科全书》内容是复杂，晦涩和动摇的，并不像一些历史家所说是革命的旗帜。假使真有什么旗帜的话，只有费尔巴哈所著的《自然界系统》足以当之而无愧。此书说明一切东西，都是物质与运动，而达到无神论（Atheism）。亚兰伯尔阅读《自然界系统》时，高叫道："这是一本可怕的书！"在此书出版一百年之后，黑特涅尔（Hettner）说："《自然界系统》一书引起整个受教育的社会惊奇和恐怖。"因为读者在此书里已经可以领略即将来的革命之嗅味。

思想与行动的统一

至于行动的潮流，一是英国光荣革命的成功，一是美国独立运动的胜利，给予法国人以极大的刺激。尤其是有一大批抱有自由思想的法国人跑往北美洲，投入当时崇拜的革命将军华盛顿之麾下，在这些人中有许多是后来在法国革命中的著名人物。的确，美国独立的警

[1] 见 Zouslitch 所著作 *Voltaira*。

钟，首先把法国的中等阶级敲醒了。所有这些影响汇合起来，便涌出法国大革命的怒潮，这种怒潮是人们早已料及的。社会氛围气中充满新的观念，大家的脉搏中都有改革的声息在内震动着。人们已经看见过革命，大家的思想是与革命相习的。于是思想与行动统一起来，而法国专制主义就不得不在群众怒吼之前崩裂了。

第三节　从三级会议到巴黎革命

三级会议召集的由来

法国的“三级会议”（States-Gengeral）自从一六一五年以后，未曾召集过。所谓会议，只是僧侣（第一等级）与贵族（第二等级）所把持的机关。第三等级的人民从资本家到农民，当然是极端愤慨的。恰巧一七八八至一七八九年，法国的财政大臣列克尔鉴于财政的困难，想向贵族和教会的地产征收税金，于是又建议于路易十六，定期召集三级会议，以解决税收问题。可是照从前三级会议的办法，三个等级的代表人数相等，贵族僧侣联合起来占绝大多数，新税则一定通不过。列克尔乃主张将第三等级的代表人数加倍，并主张依人数来表决各议案。此项主张，卒为议会及所谓“名人会议”所反对，未能实现。不过，召集三级会议以解决财政困难，却为当时法国一致的要求。于是议会乃决定，于一七八九年四月二十七日召集三级会议，全国欢声雷动，大家觉得一个新时代正在孕育之中。

同床异梦的三级会议

依当时三级会议的组织，会议代表额共为一千二百十四名，内中贵族，僧侣和第三等级各占三分之一。贵族与僧侣可以直接选举代表，第三等级则用间接选举法的，即先选举投票的代表，再由投票的代表去选举会议的代表。城市中第三等级的代表选举，以行会为单位，也有以市区为单位的。凡有职位，学位，职业或老板证书的人即有选举资格；又凡呈出税单证明每年纳税至少六佛郎的人，也有选举的资格。够不上这种资格的工农大都被这个规定剥去了选举权。所以第三等级的代表，结果都落到资本家的手中。三级会议选举的全部的结果，计贵族中选出二百四十二个宫廷贵族和乡间贵族，又二十八个官僚贵族；僧侣的代表中，有四十八个大主教和主教，三十五个修道院院长和首席牧师，二百零八个牧师；第三等级的代表有两个下级僧侣，十二个革命的贵族，十八个市议员，一百个中等阶级的官吏，二百十二个律师，十六个医生，二百六十个商人及自由农民（包括小地主与自耕农）。依照这个数字，可见一七八九年时代法国第三等级的势力之优越了。正如息叶斯（A. Sieyes）所说："第三等级是一无所有，其前途怎样呢？一切都是它的！"法兰西全国对于这个三级会议都具有无穷的希望。君主政体梦想站在新创的国家根本法的基础上来作主张，一有机会，再行推翻这种法律；贵族与僧侣希望由这个会议动摇不定的表决中去拯救他们的特权；市民希望获得身体的自由和财产的安全，手工业者与工人希望解除警察的压迫，获得较好的业务；农民希望解除可怕的课税压迫与赋役义务，并且脱离奴隶关系，当全法国在这种希望与恐惧的风潮中震荡之际，三级会议即于一七八九年五月五日在凡尔赛集合了。当时指定凡尔赛为会场是有深意的，老实说，就是政府不愿意三级会议受到波涛险恶的巴黎之影响。

国民会议

政府对三级会议中每一级设置一个特别的会场。第三等级代表的人数最多，所以将公共会场指定给他们开会。这种本来无关重要的事却被第三等级以巧妙的手段利用了。它邀请其余两级代表在公共会场中从事选举的审查，这种共同审查选举的要求虽完全是对的，但盛气凌人的特权代表却置之不理。三级间的谈判没有结果，因循复因循，差不多虚度了六个星期，还没有开过一次会议，著名的学者摆伊（Bailly），此时已被选为公共会场会议（即第三等级的会议）的议长，他和息叶斯明白看出，要恢复会议的统一，实行依照人数的表决，必须有一种彻底的举动。同时一大批下级僧侣的代表也允许和公共会场的代表结合，因为他们的经济利益是和第三等级人民的利益相同，所以对第三等级的代表表示同情。一七八九年六月十七日，第三等级代表，即有一个决绝的步骤。他们依照息叶斯的提议，以四百九十一票对九十票的绝对大多数议决，在公共会场集会的代表，是法兰西全国的代表，特命名为“国民会议”（National Assembly）。他们又议决只有国民会议才具有认可征税的权限；后又议决，在国民会议对法国新改造能够没有障碍的进行时，国家债务在法国国民正义的感觉之下，是仍旧存在不致动摇的。这些议决案，非常聪明，他们竟能将国家债权人的利益和国民会议的存在结合在一起了。

民众的拥护与统治者的压迫

法国民众现在毕竟看见一种有声有色的事实，他们对于第三等级的代表大喝其采，因此使代表觉得民众的势力是站在他们后面。宫廷和特权阶级对于第三等级这种勇敢的举动，呆若木鸡，不知所措！君主为贵族，僧侣和巴黎议会所包围，出面干涉第三等级。列克尔劝告君主应当集合三级的代表，宣布第三等级的议决案为无效，但允许几种改革，并且以“再行反抗即予解散”去恐吓第三等级的代表者。君主的步骤是由享特权者确定的；可是局势的变化却和宫廷与享特权者的愿望相违，自从第一等级代表中的下级僧侣之大多数决议参加国民会议以后，第三等级的势焰为之一张。宫廷相信必须防止这种参加，一直到君主出席三级会议，消灭中等阶级贱民——这是贵族的用语——的骄气为止。这种强制行动用了一种可笑的话做口实，就是说，公共会场要布置“君主会”，国民会议必须延期开会，这桩事是由高级仪礼官布黑塞（Dreux-Breze）伯爵用一种短文书于六月二十日早晨向议长摆伊报告的。摆伊马上用一种短文书回答道，他没有接到君主的命令，他对高级仪礼官的指示不能遵从。当各代表来出席会议时，只见会场锁闭，外面站着兵士，令他们回去。这是君主与宫廷贵族开始压迫国民会议的第一声。

网球场宣誓

然各代表并不因这种武力的压迫而表现沮丧的神气，他们立即决定依照渚约胆（Guillotin）博士的提议，前往本市网球场集合。这个网球场有一个为打球而设的大厅，内中并无木器，一般被武力压迫的代表即群集于此。他们必须站着讨论一切，他们寻着凳子，站在上面作激昂的演说。有人提议大家到巴黎去，依赖巴黎人民的保护。但穆尼哀（Mounier）提议，这个会议应当宣誓，非至人民所迫切需要的宪法出现，不得离散。此会议看见刀临头上，为当时的义愤所激，一致赞成穆尼哀的提议。于是议长摆伊站在一把椅子上，对于集合的代表作下列的宣誓道：

> 我誓不离开你们，我跟着你们到一切为情势所许的地方集合，一直到君主国的宪法成立，根基稳固为止。

这个会议在如火如荼的热忱中，举手作这种可纪念的宣誓。六百个代表异口同声的叫道："我们都以此自誓！"一般站在网球场外面的民众用洪大的呼声，喊出"国民会议万岁"的口号来报答这种誓约。代表即刻决定为团结力量起见，每人应签名于誓约上，只有一个代表——一位民法学家——提出抗议，第三级的代表，只有一个和人民的希望不同。后来，国民会议在圣路易教堂集合，僧侣的代表，有一百四十九名参加会议。所以国民会议的势力，因它的决心而增加了。网球场宣誓，就是在全法国的国民中毁灭了旧专制主义的权威，表示了第三等级革命的力量。这即是说：第三等级恭顺的时期已经过去了。

紧急时期的密哈博

路易十六此时还想拿出君主的威权去压迫革命的势力。他竟于六月二十三日带着仪仗卫兵盛服出席于三级会议的大会场，第三等级的代表享以闭门羹，他们在大雨中站了好些时候，才得由旁门入场。路易十六在会中大骂各级代表分裂的罪恶，并宣布第三等级的议决案，即国民会议的议决案，为无效。同时也用一点甜言蜜语去欺哄第三等级的代表，可是对于特权阶级的利益，仍旧是极力维护的。最后，他竟用十分骄傲的口气说道："我命令你们即刻散开去，明天各出席于指定给各级的会场中！"自君主离开会场以后，贵族与高级僧侣即遵命退出，但一般组成国民会议的代表却坐着不动。他们决定不屈服于专制主义之下。人民代表这样的默不发言，实甚于多言的讨论，然在寂静之中，忽有一个人发出一种有力的声音，为这次革命中蝉联不绝的轰轰烈烈的现象之先导。此人就是密哈博（Mirabeau）。这位密哈博本是一位贵族的儿子，因为受了法国十八世纪哲学的影响，曾著书作文以反对专制主义，被政府下令逮捕，囚入牢狱。贵族非常痛恨这个阶级的叛徒，但第三等级却很欢迎他。他出牢狱以后，就脱离贵族的生活，在巴黎开一个布店，加入第三等级的队伍；所以被选为第三等级的代表。他对于那长久将他囚于牢狱中的专制主义及压迫他的贵族，充满了报复的意志。密哈博具有一个完全政治家的头脑和第一等的政治天才，并且为最善辞令的演说家，他当时恰是四十岁，这个年富力强的人，麻子满面，姿势粗蛮，性情激烈，他的讥讽，非常可怕，他的声音，非常洪大，君主与贵族听见他的攻击言辞，都为之发抖。他说君主对于这个会议没有说出什么东西；并且专制主义的恩物是时时危险的。他以很激昂的语气，叫大家念着网球场的宣誓。当这时候，那不幸的高级仪礼官走进会场，问议长摆伊是否听见君主的命令。摆伊回答本会议必须首先讨论此事。密哈博于是起而反对这个廷臣，他说高级仪礼官没有权力在会议中发言，并且高声叫道："我们集在此处，是出于人民的意志，只有枪的力量可以驱散我们！你把这一句话告诉你们的君主！"会场登时掌声雷动，迫得这位仪礼官只好退转去。

不一刻，军队就开到了，可是兵士的枪，并没有取攻势，因为巴黎的人民，站在国民代表的后面。当高级仪礼官将密哈博的话告诉路易十六时，他一时竟丧了勇气，遂向仪礼官说道："第三等级的各位既不愿离开会场，他们可以停留在里面。"他们停留在里面，硬要获得制定宪法的权力，他们已经是一个制宪会议了。同时四十七个贵族议员在阿里安（Orlsans）公爵领导之下，加入国民会议。使君主及宫廷尤其感觉不安，于是暗中极力准备用武力强迫他们承认政府的财政计划，最后则拟用武力驱散他们。不料巴黎革命的狂潮便从此汹涌澎湃了！

巴黎市民夺取武器

宫廷对于人民代表拟举行的政变的预备手段，马上就显明出来了。政府令军队在巴黎和凡尔赛集合，这种军队大部分都是外国人，因为政府怕法国军队靠不住，这种军队的统率者，是一位极残暴的贵族大将，叫做布霍格列阿（Broglio）。三万兵士已经包围了首都，还有二万人正在集合。密哈博提议派代表向君主要求撤退军队，路易十六对此项要求拒不承认，他说此项军队是“保护”会议的。并且说，假如会议的代表既不放心，它可以迁往索桑（Soissons）或安约（Anjou）去。于是政府对于国民会议的阴谋便暴露无遗了。巴黎的人民，自从知道宫廷预备从事政变后，益发火上加油愤不可遏。他们大批的拥入各公共场所，一般工人拥挤于街市上，中等阶级的代表则出现于市政厅。有许多人站在桌上或凳上演讲时局的情形，无不愤恨君主与贵族的专制，革命的感情，可以说达到沸点了。恰巧宫廷将列克尔免职，以为他暗中和人民联合，因此更引起人民的不平。在阿里安公爵所开放的王家花园中，几千群众都非常的激昂。有一个青年律师德斯冒灵（Camilli Desmoulins）从恐惧与愤怒交加的群众中挤出来，手里拿着一枝手枪站在桌上叫道：“国民啊！时机已到，不可失……一切德意志和瑞士的军队将于这一晚从演武场到法国来屠杀我们。我们还只剩着一条生路——我们去拿军器罢！”群众异口同声的喝采，大家都跑到街上大呼拿军器。有人从一个商店中取出阿里安公爵和列克尔的半身像，蜂拥着向路易十五草场走去。当大家将此等像挂在德巴立的爱人之像上时，兰伯斯克

（Lambesc）贵爵带着王家龙骑德意志军队出来了。这个粗笨的军人竟命他的骑兵握出武器向群众作一次冲锋，因此有许多民众不是被刀砍倒了，就是被马踏伤了。没有武装的群众此时异常愤怒大呼拿武器往街上去！市政厅选举人联合会便打开该处的军装库让人民携取武器，同时制造武器的匠人与贩卖武器的商人都将他们的武器交出来，于是巴黎人民大都自动武装起来了。革命的火焰，已在熊熊地飞扬着！

护卫军与民众联合

法国的护卫军也和革命的民众站在一条战线上：因为民众曾经将好些被羁押在修道院中的护卫兵释放了。政府用王家龙骑德意志军队去监视护卫军，更引起护卫军的愤恨，于是首先开枪打死许多龙骑兵，立即集合在路易十五草场，和革命的民众联合去抵抗从马斯费尔德（Marsfield）方面来的军队。在马斯费尔德指挥的伯桑瓦尔（Besenval）固然是挥军前进，但他不能逼迫他的军队向护卫军施行攻击，而且他的军队中有许多部分投入民众方面，因此又退到马斯费尔德。当时民众的愤怒，发泄在君主的征税机关上面，这些机关和税关防线，都被捣毁了。

组织国民军

到了七月十三日早晨，各处的警钟齐鸣，一般人民拥挤在街上搜寻武器。市政厅选举人会议所设立的委员会命令组织国民军，一共集合了四万八千人。但因枪枝不够，委员会即命制造五万枝长矛，这些武器是一个令人不能相信的短时间内做成的，可见巴黎民众对于革命运动的热烈。这一天革命的民众并没有遇着袭击，因为伯桑瓦尔不敢信任他的军队，正等待援军。国民会议在这种强有力的后盾保护之下，态度更为坚决，除了宣布它为永久的组织外，并向政府严辞的要求撤退军队，将祸患的责任，都加在一般蒙蔽君主的贵族议员与宫廷策士的身上。宫廷仍然调集军队，以为军队的势力增厚，便可将巴黎的革命风潮镇压下去。换言之，至死不悔的统治者全靠枪枝作护身符，不料这一回枪枝已失去它的力量了！

攻下巴士提尔狱

至七月十四日，各处的警钟又响了。一般搜寻武器的人民在病院的地下室中发见三万枝枪和一批大炮刀剑等等。民众即用此等武器自动武装起来，而前城之工人更为激昂，由一个啤酒酿造者山德黑（Santerre）统率着，和护卫军互取联络。配上武装的群众都精神奋发，跃跃欲试，而唯一的目标，便是表现专制主义最显明的巴士提尔狱。七月十四日下午即有“往巴士提尔！往巴士提尔！”的呼声出现于巴黎各街市。巴士提尔是巴黎城中一个堡垒，建于十四世纪末年，是有八个一百尺高的巨大牢狱而成，并且用九尺厚的墙连结起来。墙的周围，又造成一条二十五尺深的大沟，因此要经过一条大吊桥才能到狱内。当七月十四日，共有八十八个老兵和三十三个瑞士兵驻守此狱。宫廷这个牢狱，绝没有料到民众首先会攻夺它，所以没有增加驻兵。当武装民众达到巴士提尔沟外时，守军已将吊桥收起，准备防御。民众中有二位勇敢的人，一个是巡士哀利（Elie），一个是钟表匠荷灵（Hullin），他们用斧头砍断吊桥的铁链，使吊桥跌落下来，民众便拥过吊桥，撞击大门。于是监狱官令兵士开枪并准备大炮轰击，结果，民众死伤无数，退出吊桥，而以堡垒为屏障的兵士丝毫未受损伤。不一刻，市政厅的选举人委员会派代表到巴士提尔开谈判，因监狱官强硬，没有结果；于是民众又作第二次的攻击，同时革命护卫军也挟着大炮来了，他们开炮向巴士提尔轰击，守狱的兵士才畏缩起来，竖起白旗投降，放下吊桥，从此巴士提尔狱便为巴黎革命民众，以流血的牺牲而攻下了！无辜被囚的几万民众，都被释放了！这正是一七八九年七月十四日的晚间五时，也就是法兰西共和国的国庆纪念日！

路易十六的屈服

民众在攻下巴士提尔之后，对于驻守兵的生命加以保全，但下令杀死民众数百人的监狱官和司令官却被民众打死，将首级挂在长矛上面示众。当一部分民众在胜利的欢呼破坏了专制主义的牢狱之时，巴黎大部民众正预备抵抗从马斯费尔德来进攻的军队。这个革命首都，几乎和军营一样，各处的警钟撞个不住，造子弹，制戈矛，除去街上所补的砖石，堆积防御物，大家忙个不休！国民军更是全副武装，等待斗争之开始。结果，军队的攻击又没有出现；因为路易十六已丧失勇气了。他一听着里安谷（Lian Court）公爵报告“这是民众的革命”以后，便立即命令军队撤退，君主与宫廷都为巴黎的武装民众的实力所压服了！国民会议的代表于七月十四夜间都留在议场，没有散会，他们非常的兴奋。那位懦弱无能的路易十六仅携同兄弟二人于十五日出席国民会议，他此刻视国民会议代表为真正代表全体国民的了，他宣言与国民一致，最后并用极有感情的声调呼道：“我的人民的代表，我信赖你们！”大多数的国民会议代表对于这位可怜的君主，突然又原谅起来。于是革命势力与君主妥协的事情，便由此发生。巴黎改为自治市，当六十区代表选举市长，并在市长之下，设立一个三十名议员的公社会议。第一任的巴黎市长，就是国民会议的议长摆伊。同时国民军正式由政府认可，选辣斐德为总司令。国民军用红白蓝三色为标志，表示自由，平等，博爱的意义。君主也接受了这个“三色”，当着民众的面前，把三色帽章插在自己帽上，以迎合民众的心理。被罢免的列克尔也召回来组织他的第三次内阁：人民初本欢迎他，后来因为他赦免反动的伯桑瓦尔等人，又为人民所愤恨。法国革命狂潮既起，虽然暂时平静了，但不久仍要激起巨浪。

第四节 《人权宣言》与一七九一年的宪法

八月四日之夜

七月十四日革命，引起法兰西全国一种绝大的兴奋，一切城市都自动的制定城市法，选举市议员，编练国民军，所有的行动，都以巴黎为模范。一般农民以七月十四日巴士提尔狱的攻下，为封建赋役解放的记号。乘势崛起的农民，对待他的压迫者，非常残酷。凡贵族的宅地及教士的修道院与住宅都被围攻或毁灭。此等宅第和修道院被他们放火焚烧，法兰西的天上由夜间的大火映着，变成红色，常至数星期之久。国民会议得着农民暴动的消息以后，即于八月四日夜间召集紧急会议，讨论应付的方法。有一位代表洛叶（Noailles）子爵首先作一种光明灿烂的演说，他表明此刻对于暴动的农民不能依照平常的方法用武力镇压下去。大家必须铲除那些引起人民暴动的不正当行为。他于是提议取消一切封建权利，并且立即用他的选举人的名义宣布毁弃他的封建权利。全场的人对于他喝采称赞，欢声雷动。同时有一位布列谭尼（Bretagne）的一个地主克恒加尔（Leguen de Kerengal）也依照洛叶的榜样起而发言，声述赋役制度的弊病，提议铲除这种制度。这个会议的感情兴奋，如醉如狂，享特权者争相毁弃特权，而大多数“第三等级”的代表，都极力替农民向享特权者威逼，所以到半夜的时候，一切旧的特权都被铲除了。据墨林（F. Mehring）的计算，这一晚上贵族所抛弃的特权，为数不下一百五十种。当此案公布的时候，人民非常的欢欣鼓舞，于是他们便争先恐后的送了许多金银财宝给国民会议作费用，表示拥护的意思。因此，封建制度的崩溃，在旧法国与新法国之间画了一条严明的界线。

《人权宣言》

国民会议在农民暴动停止之后，又议决一种《人权宣言》。这种宣言，是先于宪法而出现的，并且是以优美和明白的形式，表现自然的与国民的人权。为使彻底了解当国民会议对于革命的贡献起见，特将该宣言的内容介绍出来：

一、人类是自由的，他们在权利上生而平等。

二、一切国民结合的目的，是在保持自然的和不可磨灭的人权。此等人权为：自由，财产，安宁和反抗压迫。

三、一切主权的源泉，首为国民。如果不明白受国民的领导，没有一个团体，也没有一个私人能够有所作为。

四、自由是指一个人施以不妨害他人的事都可以做去；所以每个人行使自然权时，除掉保证其他社会成员得享同一权利之外，没有别项限制。此等限制，只能由法律规定。

五、法律只可对于有害社会的行为加以禁止。凡非法律所禁止的事件，不得加以阻碍，凡非法律所命令的事件，不得强迫履行。

六、法律是普遍意志的表现。一切国民对

于制定法律，都有亲自参加或委托全权代表参加的权利。无论是保护或是惩罚，一切人都系一律待遇。国民在法律的眼中既是一律平等，他们对于一切公共的荣誉，位置，和职务，都得按照他们的才力作同样的进取。除掉他们自己的德行才干能够分别差异以外，没有其他的区别。

七、除掉依照法律所规定的事件和法律所规定的形式外，无论何人不受控告逮捕或监禁的处分。凡要求，发布，执行，或命令执行专擅的命令的人，必须受惩罚；但每一个国民如为法律所要求和强制，暂时必须服从；他如图抵抗，当受惩罚。

八、法律除掉意义最严正的和显然必要的惩罚外，不得有其他惩罚；除掉依照在犯罪前公布周知的并即刻在一切形式中应用的法律外，不得惩罚任何人。

九、每个人非至应受惩罚的事件业经证实，当被视为无罪，所以当任何人因万不得已，必须受逮捕之时，凡因看管他对于他的身体所加的一切非必要的严厉手段，是绝非法律所许可的。

十、一个人所宣布的意见或宗教的信仰，如果不危害法律所造成的秩序时，对于他不得因他的意见或宗教而加以妨害。

十一、自由发表思想和意见，是最宝贵的人权之一种；每个国民可以自由发言，自由著作，自由印刷；不过他对于滥用这种自由，于法律所禁止的事件上当负责任。

十二、为保障人权和国民权起见，需要一种公开的权力。这种权力，是为着一切人的幸福而建立的，不是为着行使此项权力的人的特别利益而建立的。

十三、为维持公共的权力和支付管理的费用起见，一种公共的纳税是绝对必要的。这种纳税，是以国民的财产为标准，平均分配于一切国民。

十四、一切国民，都有权力亲自参加或由

全权代表参加决定公共纳税的必要而自由认可这种纳税，监督它的用途，并且确定每个人应缴纳的份子和税额及征收时期等等。

十五、社会有要求每个公家官吏宣布他的管理中账目的权利。

十六、在一个社会中，如果各种权利没有保障，全权的划分没有确定，这个社会即没有宪法可言。

十七、财产既是一种神圣不可侵犯的权利，所以除掉为正当证明的公共必要事件而以如数赔偿为条件得强取私人的财产外，任何人的财产，不得被剥夺。

这个宣言，是欧洲政治史中最重要的文字。在它美丽的辞句中，隐约的表现国民会议的代表对于全体国民的利益作了相当的保障，这个宣言一经公布之后，全法国各阶级的民众一致欢迎它。就是因为法国民众，在摧毁专制主义及特权势力两大旗帜之下，都站在同一的战线上；而代表这个新民主势力的《人权宣言》，自然要受各阶级民众的欢迎了。

路易十六被迫迁至巴黎

自从国民会议议决《人权宣言》以后，法王路易十六优柔寡断，不予立即批准，以致巴黎的民众识破了宫廷对于革命政权的仇视，而国民会议的左派人员更决定运动巴黎的革命民众及国民军，用武力迫法王迁至巴黎，使宫廷受革命势力的包围，不敢再有阴谋出现。正在这个时候，凡尔赛宫大开宴会，路易十六和王后太子均列席，席间有的高谈阔论，有的猜拳行令，有的拔剑乱舞，似乎对于人民渴望的《人权宣言》，没有批准的必要，也没有介意的必要。尤其是那忠于王室的军官，在宴会中抛弃蓝白红的帽章，换上白的帽章，以表示反对革命的意思，更激起革命民众的反感。当十月五日早晨，巴黎的妇女得不到面包，愈集愈多，军警也不能加以驱逐，一个青年姑娘从一个守望的地方取出一面鼓，一边击鼓，一边大呼“面包！面包！”，忽然齐集了数万妇女，都散发赤足，各执武器。同时有一位攻巴士提尔狱出名的勇敢男子梅耶（Maillard）带领一大批男子参加进去，一齐往凡尔赛去要求路易十六迁到巴黎，解决面包问题。同时国民军也要求辣斐德将军统领他们到凡尔赛去，和妇女们取一致的行动。辣斐德初不允许，有一位兵士便愤愤说道："将军，你不要欺骗我们！我们不愿意向妇女使用武器，但愿将君主接到我们的中间来，因此我们好确切知道他的意见。"辣斐德知军心已变，只好统率他们到凡尔赛去。当巴黎的武装妇女在凡尔赛宫门外骚动的时候，宫廷禁卫军曾出来干涉，以致发生流血惨剧。但因国民军帮助这些请愿的妇女，禁卫军才退入宫内。后来经过妇女代表的请愿，武装妇女及国民军冲入王宫杀死好些禁卫军，才将路易十六屈服，立即允许迁至巴黎。路易十六迁至巴黎以后，便四面受革命势力的包围，已失发号施令的权力，差不多等于监禁的样子。国民会议也于此时迁至巴黎，受革命势力的保护。在这个时期，可以说革命的政权已很坚固的树立起来了。

党派与俱乐部

国民会议迁到巴黎，即开始一种新的政治生活，各种党派的分野愈加鲜明。约而言之，可分四派：一是极右派，主张君主专制，称为王党。其中有高级僧侣的代表，及新近害怕第三等级革命的危险而转向反革命方面去各省贵族的代表。这一派的政纲，就是保存第一第二等级的特权与拥护国王权力的神圣。二是同情于两院制之温和的右派，其中代表有高等自由主义的贵族，高级官吏，银行家，承办宫廷货物的工业家，与承办国家赋税的财政家。他们在“君主立宪党之友”的俱乐部之下结合起来。三是自由主义派，即中央党，其代表有自由主义的大资本家及一部分工商业家（中等资产阶级），在国民会议中占大多数，以密哈博为领袖，他们要求以财产为根据的宪法，对国王的权力加以限制。这一派属于“一七八九年俱乐部”，因俱乐部设在火伊儿寺院中，故又叫火伊儿派（Feuillant）。四是左派，分子颇复杂，其中有一部分倾向民主，以律师罗伯斯庇尔（Robespierre）为领袖，农民，手工业者，小商人及工人皆以罗伯斯庇尔为自己利益的保护者。这一派代表坐在会场左边最高的议席上，因此被称为山岳党（Mountains）。其在政治行动方面，依靠于雅各宾

（Jacobin）寺院的俱乐部，故亦称雅各宾派（Jacobiner）。它在法国各城市中都有支部，构成笼罩全国的组织，支部在当地革命行动中，曾起过很大的作用。此外，由下层民众所结合的，则有科德利（Cordeliers）俱乐部，其目的在以政治知识教育巴黎的下层民众，如手工业者与工人等，最受民众欢迎的演说家丹塘（Danton）即其领袖。

联合战线破裂

至一七九一年六月二十日夜间，路易十六受了左右的怂恿，逃出巴黎，预备到蒙特默笛（Montmedy）去，从事反革命的争斗。不料中途被一个邮务长率领民众截住了，仍旧把他送回巴黎，监禁于旧宫。路易十六这一次的逃亡，引起一种真正共和主义的运动。国民会议中的极左派主张废除君主，建设共和。不过火伊儿派的势力很大，竟于一七九一年七月十六日使君主复位，辣斐德统带他的国民军驱逐围绕国民会议议场的民众。在同一日中，雅各宾俱乐部预备一种请愿书，要求废除君主。七月十七日有大批的群众在马斯费尔德向请愿书签名。

马斯费尔德场上的民众大呼："驱逐波哈镑（Bourbon）朝人！解散国民会议！"因为现在的国民会议为右派及中央派所把持，迷恋着"君主的恩惠"！当马斯费尔德发生骚动之时，摆伊市长派来许多警察，辣斐德带领两队国民军来场镇压。摆伊到场的时候，即要求民众散去，民众不肯，于是国民军兵士开枪示威，民众仍不散去，而且用石子来回击，于是屠杀的惨案便发生了！手无寸铁的民众，竟被国民军用密集的枪弹杀死几百人：以前参加革命的国民军，现在竟和革命民众为敌了！以前受民众拥护的摆伊，现在竟用武力压迫民众了！可见法国革命发展到新的阶段，革命的联合战线即行破裂了！

一七九一年的宪法

第三等级的代表为了废弃君主与拥护君主既发生过流血的争斗，于是手握枪杆的资本家，便想在君主立宪的制度之上，建立他们的新政权。他们在宪法中明白承认法兰西君主的尊号和不可侵犯，想借此表示立宪君主政体的性质是最高的，以此与专制君主政体相抗；同时他们又将君主与贵族及僧侣的特权铲除，而扩充自己的权力。他们所议决的选举法，将法国的男性国民分为两级，一级为“积极国民”，另一级为“消极国民”。凡年满二十五岁并年纳三佛郎税的人叫做积极国民；其他不纳税的人叫做消极国民。只有积极国民才有选举权；至于被选举权，限制更厉害，必须有一百五十至四百佛郎价值的地产。左派对于这种选举法，大施攻击，但没有效果。德斯冒灵说得对，“积极国民的意义所包含的东西完全是虚伪的。因为就这种含义讲，这个收利坐食的人是一个积极国民，而劳苦的农夫及工人，因为没有付出三个佛郎的税，便是一个消极国民，享不到政治上的权利”。这不明明白白是资本家排挤劳动者于政权之外么！

国民会议的工作既经告终，它遂于一七九一年九月三日将宪法完成了，并且经君主批准了。这种宪法使法国变为一个立宪君主国，再正确些说，即使法国变为一个半民主主义的立宪国。因为一切立法的权力，都在由纳税的国民所选举的国民会议的手中。君主是不可侵犯的，国家是由一个责任内阁管理的。君主只有一种迁延的否决权。他是海陆军大元帅，但当他宣战媾和之时，须得到国民会议的同意。国民会议具有大赦的权限。宪法予国民以法律面前的平等——在许多方面，这种平等并不存在——出版自由，身体自由，财产和名誉的保护，这些东西是在这部宪法之内实现的。这种宪法对于有体面的中等阶级适相吻合，对于资本家便是一桩大喜事，因为它确定了职业自由。民众固然感觉到铲除封建制度的大进步，但他们对于这种宪法的热忱，远不及资本家，因为他们在宪法中找不到他们经济利益的保证。这些民众因法律和例外的决定，觉得又受新压迫；这种压迫，是国民会议对这些民众所创造的，而宪法上美丽的言辞，都变成了空话。

掌握政权的资本家

国民会议自从完成这部宪法以后，便以为革命告终了；资本家此刻相信已经达到适合于它的历史使命的国家组织了：因为它现在已经要将国家形成一种工具，去达到促进其自身利益的目的。它在志得意满之余，要表示豁达大度的样子，依照辣斐德的提议，大赦政治犯。路易十六于九月十四日出席国民会议，并再行宣誓遵守宪法。国民会议便于九月三十日宣布解散。当会议解散之时，代表们受尽了民众的讥讽和怒骂！只有罗伯斯庇尔一派主张共和民主主义的人，退出会议时受民众的欢迎。有体面的资本家因这种新宪法，变成了统治阶级，而穷苦的劳动者，则由这种宪法重降到被统治的地位。以前因为摧毁专制主义及封建特权，尤其是因为必须组织武力以与宫廷的军队对抗，资本家的军事势力已经由辣斐德完成了，资本家已经切实掌握了政权，为保障自己的经济利益起见，只有加强对于劳动的榨取；因此也只有稳固自己手中的强制工具——政府——以镇压那些被榨取者。新宪法的完成，即显示法兰西国家的形式，已走向近代资本主义代议国家的路上来了。

第五节　立法会议与国民会议

立法会议中的党派

制定宪法的国民会议闭幕以后，根据宪法所召集的立法会议于一七九一年十月一日开会。议员共七百五十四人。其中分为左右二派：右派中又细别为王党和火伊儿派；左派又细分为罗兰（Roland）所领导的隙风党（Girondists）和罗伯斯庇尔所领导的山岳党。右派主张君主立宪，左派则主张民主共和，因此开会的时候，各执己见，常常发生冲突。但右派的势力很微弱，所以会议的大权，几乎完全握在左派手中。而罗伯斯庇尔又组织雅各宾俱乐部于各处，时时集会演说，或散播传单杂志报章，公开表示他们所主张的建设自由平等博爱的新国以代昔日君主的专制僧侣的诈伪和贵族的骄横，以鼓动民心。这些议论影响于会议的进行很大，因此会外运动的势力，反胜过会内，而革命进行的速度，就比以前更为勇猛。

反动派与短裤党内阁

立法会议因逃亡在外的贵族有种种叛国的阴谋，便下令限他们于一七九二年一月一日以前返国，不服从者即认为“叛国犯”，而处他们以死刑，没收其财产。同时立法会议因僧侣藐视新法，抗不宣誓者很多，复议决令僧侣于一周内宣誓，不服从者即认为“嫌疑犯”，予以革职的处分。然而遵令者仍属少数，因于同年五月更下令驱逐违法的僧侣于国外。这样一来，反革命派就逐渐增多。这般亡命者要在法国的边界上组织六万人的武力，企图推翻一七八九年后的革命政权，一致拥护宫廷。他们都忽视了法国革命民众的抵抗力。立法会议采取积极的防御手段，而且向君主及宫廷威胁。君主现在受环境的压迫，觉得他如果要和立法会议相安无事，他必须从隙风党中选择他的大臣，新政府的总揆是渚膜黑（Dumouriez），他兼任外交，是一个超然派。隙风党的领袖罗兰则任内务，他的夫人——隙风党的灵魂——因为他们的关系也加入政府中，马哈特（Marat）称他为其夫人的厨役。日内瓦人克拉威黑（Claviere）任财政，塞黑汪（Servan）任军务，渚哈塘（Duranthon）任司法，拿可斯特（Lacoste）任市长，后列两人都是隙风党的信徒。大家称这个政府为“短裤党内阁”，一班贵族以此嘲笑政府的平民性，但同时也是指罗兰夫人的。这个隙风党的内阁，以立法会议为后盾，也为新政权尽了不少的力量。

法国对奥宣战

法国革命风潮渐趋扩大之际，普鲁士和奥大利两国的君主，恐革命的风潮把自己也卷入旋涡中去，民众起来革命，遂联名发出《皮尔尼慈宣言》（*The Declaration of Pillnitz*），说法国的事变，足以损害欧洲全体元首的福利，所以一切元首必须联合起来替法国创造一个适当的政府。老实讲，就是各国君主应该合力援助法王复辟，同时并要召集军队为作战的计划。这是一七九一年八月二十七日事。这个宣言不过是一种恐吓文字，可是法人就认为各国君主有意替法国君主恢复旧制，因此更加痛恨路易十六。在这个时候，制宪的国民会议因不久就要闭会，对于这种宣言，没有积极的表示。及立法会议成立以后，始认定普奥这种举动为干涉法国的内政，遂主张和他们开战。而普奥两国更于一七九二年二月二十七日结成一种正式协约，规定奥国出兵十八万，普国出兵六万帮助法国君主恢复王权。一七九二年四月二十一日路易十六出现于立法会议，提议对奥国宣战，立法会议立即通过。路易十六为什么反而主张对奥国宣战呢？因为他希望法国革命军战败，好去恢复其已失的专制特权啊！不料这次战争一开始，便发生蹂躏欧洲几及二十五年的延绵不断的战祸。

八月十日的革命

一七九二年四月二十二日，法国正式对奥宣战，因为普国与奥国联合行动，无形中也是对普国宣战。其时普奥已组成联军（据说军中有一万二千反革命的法国人），派布兰瑞克（Brunswick）公爵为总司令，带兵进攻法国。这位不识时务的公爵，竟发出一篇恶犬恫吓老虎的宣言说："联军攻法国的目的，专在平定法国的内乱，……以恢复正统的权利……即乡村居民有敢抵抗联军者，即以叛逆论，处以死刑，并烧其住宅；巴黎市民有联合剥夺国王的自由及对王不恭顺者，即以军法从事，斩其首级，决不宽宥！万一再有攻击王宫和凌辱王族者，即烧毁街市，屠杀市民！"这个宣言传到法国之后，全国人民十分愤激！他们眼见外侮迫在眉睫，和受伤的狮子一样狂叫起来！各省武装的联合者大批拥入巴黎，尤其是马赛的武装联合者，最为激昂。他们唱着革命的歌——这个革命歌名为《马赛曲》（*Marseillaise*），即现在法国的国歌——挟着武器向巴黎集中，沿途加入者非常踊跃。有体面的资本家从布兰瑞克公爵的宣言中，看出那保证财产和身体自由的宪法已受威胁，所以他们和发了狂一样反对勾引普鲁士军入国境的宫廷。隙风党是这个阶级的代表，因此对于抵御外侮和废王两种工作，非常努力。劳动者更不必说，是一致反对外兵入境的。当隙风党一高呼“向宫庭进攻”的口号之后，住在巴黎的武装民众便一致响应。巴黎前城的工人，准备马上不顾一切危险，从事斗争。至八月九日，立法会议开始讨论废君的问题。因为王党及立宪派捣乱，故没有何种决议即宣告停会。酝酿已久的武装革命，此刻便又要出现了。到半夜，警钟撞起来了！联合军起而执武器，前城的工人也发动了。丹塘和德斯冒灵等为着煽动群众，都很活动。丹塘并且特别跑到马赛联合军所住的地方去演说，马赛人便相率出发，唱着革命的《马赛曲》经过街市，市民都携武器随着前进。前城的一万五千工人也携着大炮集合了。他们一齐攻入法王所住的渚列里（Tuillerie）宫，见着卫兵就杀，遇着宫殿就烧。在这个时候，路易十六只是抱头大哭，没有一点办法，侍臣便向他说道：“时到如今，万事休矣！王还犹豫什么？……赶快跑到立法院会议去罢！”路易十六听到这话，如梦初醒，立即带着家眷到立法院会议去避难，以为很是安全。那知立法会议正恨他勾结外国，遂停止王权，并把他们囚禁于所谓“庙塔”的狱中。

民主派的政变

巴黎自八月十日起，即发生种种新的权力。立法会议将行政权夺入手中，代行废君的职权。它将各大臣免职，另行组织一个新政府，称为行政会。八月十日最出力的丹塘担任司法总长，和巴黎公社及革命的民众连成一气，以革命的民众武力为后盾的丹塘马上能支配其他仅以立法会议作靠山的各总长。法国革命在这个时期中只留下他的名字。巴黎公社组织一种革命的警察，又选举一个可以发布逮捕命令的监察委员会，即刻发出大批逮捕令。因此，各监狱充满了王党贵族及高级僧侣（共三千人）。同时，立法会议又因民主派与巴黎公社的威逼，通过组织一个“特别法庭”，来裁判这些囚犯。因为这个议案是八月十七日议决的，故又称为“八月十七日法庭”。一切王党贵族和反革命的囚犯通通都处死刑。后来各地遵令按户搜查形迹可疑者，每天被囚到巴黎的约有五千人，保全生命的也很少。这都是从八月三十日到九月一日的事。从九月二日到九月六日之间，更是杀人无算。一般历史家称这次事变为“九月残杀”，而革命者则称为“民主派的政变”。这次政变，确给法兰西专制主义的潜势力以重大的创伤，使它不能再抬头来反对革命。

普奥联军失败

同时，普奥联军已于九月二日占据凡尔登（Verdum），不久又进到距巴黎只有百哩的瓦尔密（Valmy），驻守这地方的法军领袖叫做克列曼（Kellermann），他一见普军拥进，便喊着“国民万岁”的口号，下令士兵上刺刀冲锋，结果把普军逐回去了。双方又继续开始炮击，终究普军为法军的炮火及呐喊声威逼而失败了！在这时，从尼德兰（Netherlands）进兵的奥军，也被法军击破。因此普奥联军的计划完全失败，于是巴黎在敌人联合进攻之下被拯救出来了！普奥的贵族公子想于九月二十日早晨——像哥德（Goethe）所说的一样——“杀尽全体法国人，用以佐餐”，然他们毕竟一看情形就惊慌起来了；“劳神费力，终无所有”。

在世界史的新时代之前，武装干涉是没有用处的。

国民会议中的党派

自九月事件发生，立法会议的重要意义即形消灭，于后虽苟延残喘若干时，然仅具形式，以待国民会议的集合。国民会议是八月十日议决召集，以解决当前政治制度问题的。国民会议代表选出八百名，左倾分子占绝对大多数，即令是右倾的分子，也不敢公然拥护君主；至少也得随声附和。以前在立法会议叫嚣的王党及火伊儿派差不多完全绝迹了。隙风党人当选者仍多，而且还可以宰制会议；不过以前是站在左派，现在已变为国民会议中的右派了。国民会议的左派是由雅各宾派构成的；它的领袖罗伯斯庇尔在巴黎得票最多，极为巴黎市民所拥戴，激烈的丹塘在巴黎市民拥护之下，也当选为代表，素来拥护工人利益的马哈特也是代表之一。这三个革命领袖加入国民会议之后，便形成一种民主势力，和右派的隙风党对抗。其中也有游移两可的人，大率是胆怯与小心谨慎之流。大家称之为平原派，或沼泽派，又称为国民会议的腹部。选举揭晓之后，立法会议即于一七九二年九月二十一日自行解散，国民会议即于同日集会。自这个国民会议集会之后，法国的政治，便开一新纪元。而一切革命中的斗争，也以这个国民会议的时代为最烈。

第一次法兰西共和国

国民会议集会的第一日，即选举白西安（Petion）为第一届的议长，许多隙风党人为秘书，所以它首先就为这一党所宰制。会议首先议决制定一种宪法，由人民在选举人的大会中予以批准；向来的法令及各种赋法，一直到新宪法批准公布之日为止，认为有效。但山岳党人此时挺身出来，提议废除王国，建设共和国。因为废王为当时人们一致的要求，隙风党人和山岳党人也大都是共和主义者，此案便毫未感受障碍全场一致通过了。这个议案是第二日正式公布的，算是法国君主专制最后的一天。因此，便称一七九二年九月二十二日为“法国自由元年”的第一天。也就是历史家所称的第一次法兰西共和国。

隙风党与山岳党斗争

国民会议在议决废王及建设共和国是一致通过的，我们已经说过。即在九月二十三日议决从新发行钞票一案，仍呈出和谐的现象。但一到二十四日，隙风党和山岳党的斗争便爆发了。起初，巴黎公社的监察委员会对于隙风党的领袖罗兰发出一道逮捕的命令，虽没有执行，但不能使他无所顾虑。马哈特最近又在报上讥讽罗兰为他的夫人的厨役。罗兰便在此时致书国民会议，说人家到底和他为难，他相信和九月初间一样的新残杀又会出现，并且还要厉害些。隙风党的克圣特（Kersaint）在会议中起来叫道，大家必须装置断头机去对付谋杀者以及谋杀的煽动者。这显然是指左派。隙风党人挑战的态度再接再厉。异日拉索斯（Lasource）公然攻击山岳党；他的目标是马哈特和罗伯斯庇尔。隙风党人一致喝采，山岳党则十分愤怒。隙风党人阿塞伦（Osselin）叫道："一个不要脸的人，借人民的力量混入此间，竟敢蹂躏人民的权利，希冀一个专制者的职位！此人是谁呢！"隙风党人的黑伯克（Rebequi）大声答道："此人就是罗伯斯庇尔！"罗伯斯庇尔默不作声，丹塘起来要求证据，一刻，马哈特也出现于演说台上。隙风党和“沼泽的虾蟆”——指坐在中央低处的中央派——发出一种可怕的叫嚣声，表示不赞成。马氏不管怎样反对，仍持一种坚决的态度。他以冷静的口吻说道：“我在此好像有许多私人的仇敌。”隙风党人叫道：“都是的！都是的！”马氏回答道：“那么我看你们害羞不害羞，你们对于一个长久为自由服务的人为什么要加以侵犯？”他于是提及他所受的迫害，并且公然承认一种革命专政的理想。当马氏演说时，隙风党人大呼：“送入牢狱中？送上断头台！”因此隙风党人失去巴黎人民的信任，而马氏却为巴黎人民所仰望了。从这一天起，国民会议内部的党争不复停止。这种斗争并且蔓延到街市上去了。各省的联合军拥护隙风党，而巴黎公社及前城的工人则拥护山岳党。南方的联合军要求罗伯斯庇尔的头颅，前城的工人则以暴动相恫吓。国民会议在这种斗争之中，并没有停止的工作，它正组织各种委员会，如公安，军务，会计检查，立法，财政和宪法等，都有委员会去专司其事。此等委员会，大都是受隙风党支配的。

路易十六上断头台

这时候路易十六虽然被监禁，但复辟派的阴谋仍未稍止。法国人民为保障共和国的坚固基础起见，只有把路易十六杀掉才不至发生危险。所以巴黎人民要求审判君主，以便把路易十六处死刑。可是没有杀王的口实，以压服保守派的心理，所以不能发动。及国民会议中的左派，接受巴黎人民的请求，提议审判君主以后，中经几许的辩论，才决议推选一个检查委员会，专门搜集路易十六的罪状证据。不久这个委员会在王宫的铁箱内，发见从前路易十六和逃亡贵族及外国往来的秘密文件数十起，便立即交到国民会议。因此，遂于十月七日，决议审判君主。十二月十一日，路易十六受审判于国民会议。议长巴痕黑便向他说道："路易阁下（因已被废，故不称陛下），现在法国国民要列举你的罪状来审问你了！状纸将宣读给你听。路易，你请坐罢！"说毕之后，书记便朗读其罪状如下：

一、希图恢复专制以灭法国人民的自由。

二、派密使到普奥各国引诱外兵入寇。

三、私行逃往瓦黑列，放弃职权。

四、屡次拒绝人民的请愿和议会的议决案。

五、八月十日用瑞士兵残杀民众，抵抗革命军。

这五大罪状宣布以后，路易答道：“这些事，我都不知道，应该由各大臣负责，尤其应该由会议负责！”说毕，又解回禁狱去了。至十二月二十六日，又开会审问。其时首鼠两端的隙风党则主张监禁，山岳党及在场旁听的巴黎民众则主张处死刑，以绝祸根。两派互相争论不已！议长便命投票表决，并令各议员出席陈述自己的主张。在陈述的时候，主张处以死刑的，便受旁听席里面民众的鼓掌欢迎；主张处以监禁的，便受他们大声的怒骂。因此一般胆小如鼠的隙风党中懦弱分子及那些依违两可的“沼泽的虾蟆”，怕出会场后为人民所狙击，不敢投监禁的票。因此，开票的结果，主张死刑的，占了多数。议长就大声向大众说道：“我代表会议宣告路易的死刑！”其时，人民的欢声，有如雷哄一般，亦足见当时的民意了。次年一月二十一日，便为路易十六上断头台的一天。旁观的民众，不但高呼“共和万岁！”，还有些跑到路易的尸首面前，扯落他的头发，撕破他的衣裳，以雪他们的积恨。可怜这位懦弱无能胸无成竹的路易十六在临死的一刹那，还大声呼道：“法兰西人啊！我是死非其罪；但我对于判决我的死刑的主谋者，加以原恕，并且愿意将我的血去巩固法国的幸福。”只可惜他不早下这个决心，至今悔已迟了！路易十六的血，为法兰西共和国行了奠基礼。自路易死后，法国贵族反动的阴谋，得以稍止，而共和政治，也得稍安无事。这就是法国专制主义的结局。

第六节　山岳党专政

外患与内忧

法国自杀了路易十六以后，共和政治固然奠定了稳固的基础，但同时却引起国内外反动势力的活跃，造成法国很严重的内忧外患交逼的局面。当时的内忧外患，约分四种：（一）英国的大臣辟特（Pitt）所号召的欧洲各国对法同盟，参加的国家计有英国，奥大利，普鲁士，俄罗斯，西班牙，葡萄牙，萨丁尼（Sardinia），利蒲尔（Neople），托斯卡拉（Toskana），帕马（Parma）等国，它们唯一的目的，就是要摧毁法国的革命政权，大家联合出兵向法国进攻，声势非常浩大。（二）在北方的边疆上，则有渚膜黑将军的叛变，他的目的是想回师巴黎，取消国民会议，拥戴霞特黑公爵为君主。（三）汪德（Vandee）农民及其他南方诸省农民受贵族与教士的宣传，说法国农村经济之混乱，完全是巴黎工人及山岳党的罪恶，故一致向巴黎的革命势力进攻。在汪德地方及里昂等处的山岳党人，大都被叛乱的农民所杀。（四）隙风党在国民会议中已变成右派，在判处路易十六死刑的时候，他们表示十分妥协的态度，已为巴黎公社众矢之的；同时山岳党在国民会议中也不断的攻击他们，以此不能不阴谋政变，阴谋政变的联盟者，是叛变的渚膜黑将军，阴谋政变的拥护者，便是汪德及南方各省的联合主义者与盲从的农民。他们唯一的目的，是要毁灭巴黎公社及山岳党的势力，建设隙风党的一党专政。以上的四种反动势力，其最后目的虽各有不同之处；但在攻击山岳党与巴黎公社这一点上大家都是一致的。这时候，法国革命的孤儿，只有山岳党与巴黎公社；当内忧外患相逼而来之时，山岳党和巴黎公社不能不发挥伟大的精力，运用坚锐的铁腕，以渡过法国大革命中最大的难关。

党争的扩大

隙风党因在国民会议占得优势，使山岳党的努力大半归于无效，使共和国的危险愈加增多，因此，山岳党和巴黎人民非常痛恨它，决定歼灭它。就法兰西的时局看来，将隙风党逐出国民会议，已成为国家安宁上的一种要求，丹塘，马哈特，罗伯斯庇尔便和巴黎公社联合起来，努力摧毁这个反动的党。巴黎各区组织一个委员会，在市政厅开会。这个委员会的多数委员，选出一个中央委员会，准备一种对隙风党的暴动。中央委员会既和在市政厅的各区委员会联络一致，可以随时号召各区人民武装作战。国民会议中的隙风党人，对于此等计划已有所闻，他们便对巴黎公社作先发制人之举。他们在会议中提议选举一个十二人的委员会——名为议场检查员——去考察反对隙风党的各种计划。这个十二人委员会的当选人，尽是山岳党和巴黎公社的仇敌，于是铲除这个十二人委员会成为巴黎市的口号，人民预定一七九三年五月卅一日暴动，以消灭它。不料十二人委员会在巴黎人民没有发动之前，发令逮捕许多决绝的革命家，即巴黎公社的代理社长黑伯特（Hebert）也在内。巴黎公社对于黑伯特被捕，提出抗议，并且派代表团向国民会议坚决的要求释放他，并立即取消十二人委员会。隙风党人和山岳党人互相谩骂，国民会议的议场大起纷扰。纠纷很久，隙风党愿意散会，避去这种的表决。但山岳党人不肯退席，随即议决取消十二人委员会，释放黑伯特及其他被捕的革命家。拥挤在会场中的人民，欢声雷动，表示人民的胜利。

到了翌日，一个隙风党人兰渚伊列（Lanjuinais）倡言此项议决为无效，一倡百和，国民会议竟为隙风党人及“沼泽的虾蟆”所惑而改变主张。释放的人固然没有再被逮捕，但十二人委员会却被恢复了。山岳党人在会议中亦无可如何。于是巴黎的人民，忍无可忍，只得准备流血。前城的工人于五月卅一日早晨首先发难，警钟齐鸣，警炮齐轰，各区忿激的人民配上武装，包围是日早晨六点钟集合开会的国民会议。国民会议于是又不得不讨论解散十二人委员会的事件，隙风党人和“平原派”受着人民武装的威胁，遂自行提议解散十二人委员会。但领导暴动的人，对于五月卅一日的结果却不满意，要进一步完全铲除隙风党的势力。六月一日巴黎公社又准备新暴动，目的就在驱逐并逮捕国民会议中的隙风党人。

六月二日的革命

六月二日清晨，巴黎公社令人民配上武装，统共有十万人，并携有六十尊大炮。当这些武装群众拥入国民会议议场的时候，具有反动见解的兰渚伊列冲上演说台攻击巴黎公社，说它的请愿书上涂满了污泥！山岳党人和隙风党人各自奔上演说台，一方要拖下兰氏，一方去保护兰氏，在纷扰中兰氏额上中了一枪，随即平静下去。巴黎公社的代表团于是对会议说道：“凡阴谋诡计危害共和国家者，必须驱逐出会议，并暂时予以逮捕。你们必须即刻拯救人民，否则人民将起而自救！”代表团于发表恫吓的言词以后，即离开议场。山岳党人列瓦塞（Levasseur）提议将隙风党人作为嫌疑犯加以逮捕，然而大会并不加讨论，大家命隙风党人交出他们的证书，隙风党人不肯听从。中立派的人提议大家离开议场，劝外面集合的人民散去，国民会议便依然依照这个提议做去，但马哈特此刻急忙跑出去，要求武装人民的领袖爱里阿围住国民会议，非至议决逮捕二十二名最反动的隙风党人，不要解围。主席塞协列领导国民会议的议员到了外面，向人民说：“人民要什么；国民会议只是求人民的福利！”爱里阿讥诮的答道：“塞协列！人民起事，不是为的要听漂亮话，只是要你们交出二十二个犯人！你们如不议决此事，休想出去！”不识时务的塞协列还要求国民军逮捕它的总司令，爱里阿大声叫道：“炮手，架起炮来！”两尊大炮的口，立即对准国民会议，各议员于是垂头丧气的回到议场，大家只好牺牲隙风党人，立即议决监禁隙风党的重要分子二十二名及税务总长和外交总长。隙风党人从此被排出政府和国民会议以外，不再作革命的障碍了。本来，他们内中有些人曾大有功于革命，但一到自己取得政权时，仍复现其中等阶级贵族的面目，要求革命停止不进。他们在这种愚蠢而无益的努力中，遂被革命的旋涡吞灭了。

一党专政

国民会议中的隙风党时代，以一七九三年六月二日为终止期，自此以后，即是法兰西的恐怖时代。山岳党受民众的拥护，统制国民会议，又借国民会议的力量将政府的全部机关和国家的一切统治权，都操在手里。所以，又可以说，法兰西恐怖时代，即山岳党专政的时代。国民会议自将隙风党驱逐出去以后，在一个长时期中，没有党争，代表们不再说“空头支票”式的漂亮话，但会议所设的各种委员会和会议所领导的工作，却较从前紧张而健全得多了。山岳党人都觉得在这个内忧外患纷至沓来的非常时期中，必须一致行动方能有济，所以大家同心协力助其领袖统制一切。但山岳党中也有内部的矛盾，即三大首领丹塘，罗伯斯庇尔和马哈特都各有支派，政治的主张也各有缓进与急进的不同。在这个时期，他们内部的矛盾还未显明，但终伏下后日分裂与流血的预兆。隙风党因为党争的缘故，置共和国家的福利于不顾；山岳党则十分豪侠，十分爱国，它的心目中只有一桩事，即从内外仇敌的手中救出法兰西共和国。结果，山岳党的统治，真的将法兰西救出来了。从此，我们可以在历史中又多得一个证明，在内忧外患交逼的国家，革命的一党专政，确是必要的手段。

一七九三年的宪法

在山岳党一党专政时代，有一件事值得我们注意的，便是一七九三年的宪法。当隙风党人被排出政权之外以后，他们便以专制与无政府状态的罪名加在山岳党的身上，竭力宣传。山岳党乃创造一种宪法，表示它想于内外战争终结后，怎样治理共和国家。国民会议的宪法委员会从前已经草就一种宪法，因为处处表现隙风党的观念，山岳党此刻便弃之不用，另外组织一个纯粹雅各宾派人的委员会。塞协列系这个委员会的主席，而一七九三年的宪法是由此会产生的。在几天之内，宪法即经草成，因为山岳党没有多工夫讨论此项宪法。

这种宪法含有一种纯粹民主主义的色彩。它确定凡年龄达二十一岁的法兰西人即为国民，具有一切政治上的权利，没有何种财产关系的限制。国民应组织国民大会，为达到这个目的起见，全国当划成若干区域，以五万人为一区。国民大会应于每年五月一日集合开会。每个国民大会，应直接选举一个代表送入国民会议。这个国民会议当为最高的权力机关，共和国家的全部政府和管理，都操在它的委员会的手中。凡国民会议的议决案在一定时期内如不为大多数国民大会所反对，即应成为法律。当路易十六时，否决权也发生许多力量，此刻的否决权，却放在人民手中。依据这几种直接民权的规定，一七九三年的宪法，便成为一种民主主义的法制。行政权应由一个二十四人的行政委员会组成。这个行政委员会，应由选举人大会间接选举。此等大会，应提出一个候选人的名单，由国民会议从单上勾去一些人名，仅留下二十四人。

宪法的绪论中也含有一种劳动权。内中说："由公家维持生活是一种神圣的义务。社会对于不幸的国民应负责维持他们的生计，或是为他们找工作，或是予缺乏工作能力的人以生活资料。"不过，这宪法虽予人民以政治上的完全平等权，然没有涉及怎样保障国民生活这个大问题，因此除掉公共的施设外，没有其他方法，而山岳党的理论家认这种施设为富人对于贫民的一种义务，即替穷乏者找工作，也是从这种观点出发的。至于一种劳动的组织，则从来没有人想及过。情形虽是如此，然民众却很信任这种宪法。当前城工人在一七九五年大暴动的时候，用粉笔在他们的帽子上大书特书“面包与一七九三的宪法”！无疑的，这宪法增长了山岳党的势力，及人民对于它的势力之信任心。

革命政府

国民会议自从排出了隙风党人以后，就成为最高的最主要的权力，公安委员会（Committee of Public Safety）以下各种组织都振奋起来。各地方革命政权的机关，就是国民会议的政治代表，他们一方面执行革命政府的命令，一方面视察当地行政及将士的举动。这些政治代表都是富有能力而忠于革命的人，在广大群众中极有威望，帮助革命政府克服了许多困难。政治代表在各地活动多与城市政府合作，而城市政府又多在雅各宾派手中，所以有所设施，进行甚易。此外，各地还有雅各宾支部，形成革命政府的政党组织，可以指导全国舆论。每个公社设有革命委员会，其责任与警察略同，专司侦查反革命者的行动，制造一种嫌疑犯的名册，那些未曾宣誓的僧侣，逃亡的贵族，以及外国奸细等，都详细注明，随时逮捕，总而言之，革命政府上层与下层的组织是非常严密的。

恐怖政策

革命政府当前的任务，是对外抵御强敌，对内镇压反动，以保持革命的胜利。国民会议为实行这些任务，遂颁布许多命令，采取严厉手段，于是开始了“革命恐怖”的新时期。首先是竭力削平各城市的叛乱，拥护隙风党的马赛即在八月降服。国民会议令其代表佛黑霍（Freron）在该处组织革命法庭，作一种流血的报复。这个城市因此丧失了名称，以后仅叫做“无名市”。里昂鉴于马赛惨酷的命运，大起恐慌，遂决定投入英国人的怀中，但终于被革命军用炮火的威力攻下了。里昂的叛乱，曾陷共和国家于极危险之境，国民会议即下一道命令说：“兹令五代表的委员会，驰里昂，捕捉曾经参加叛乱的一切革命者，用军法处决。所有居民——在叛乱中没有参加的人除外——应解除武装。里昂城市应加以毁灭！只有贫民的住宅，工厂，作坊，医院，学校和公共建筑物才准保存。此城将来不得再称为里昂，但叫做‘被弃之市’。在此城的遗址上，应树立一个纪念牌，上面写着：里昂与自由宣战：里昂不复存在了。”因此，里昂有大批的人被杀。汪德经过一度血战之后，也被革命军占领，革命法庭在该地也杀了不少的人。当各省的隙风党人叛乱之际，巴黎决定将二十二个被囚的隙风党领袖提交革命法庭审判。巴黎的各监狱充满了嫌疑犯。十月十四日，三十八岁的王后马丽安托列特（Marie Antoinette）也出现于革命法庭之前。在王后的诉讼中所列的罪名是参加勾结外国引起内乱的诡谋。陪审员是一个假发制造人，两个裁缝，两个细木工，一个木匠，一个锁匠，一个画工，一个外科医生，一个捕役和一个私人。结果被判处死刑。至十月二十四日又开始审判被囚的二十二个隙风党人，经过三日的辩论，也以内乱罪被判处死刑了。这些隙风党人临死时神色不变，他们在断头台下互相拥抱，并且大唱自由之歌。这时候的残酷，言之可怖！但这种责任应由那些逼迫山岳党铤而走险的人负之，因为山岳党当时不假手于恐怖政策而获取胜利，就会使整个革命事业归于毁灭。

改组军队与击破敌人

为谋保卫国家抵抗强敌起见，国民会议将志愿军制改为征兵制。这次征兵不许代替，就是富豪也不能用钱避免。每军的指挥由公安委员会指派，经国民会议承认。实行一种经常的政治工作，以教育军队，由国民会议所派的特别政治代表担任之；这些代表负监视将官行动拥护士兵利益之责，并且时常冲锋陷阵，握着实际的指挥权。干部民主化，使其能与士兵群众接近，国民会议更训令政治代表与士卒同甘苦，尤足使革命战士与政府接近。当时不仅实行军队民主化，不仅提拔许多有天才的军事家，又创造新的战略，击破一切强敌。

一七九三年夏秋之间，法国海陆两面都受敌军包围，普军逐法军出梅慈（Mainz），并向亚尔萨斯前进，北部则丧失比利时，而土伦（Toulon）又降于英国。幸而同盟诸国意见纷歧，法国得以整饬军队，分兵应敌，卒以卡洛特（Carnot）一军制胜，各路都击破敌人。待到冬季，法国已没有外患了。

解决农民问题

山岳党专政时期最重要的设施，无过于解决农民问题。一七九三年七月十七日，颁布法令，无代价的取消一切封建特权，杂税，及其他封建征发；法令未下以前，所有地主乡绅当政时的田产诉讼及拖欠地主债务案，都完全注销；一切封建文书契约，严令缴至官府，以备焚毁。先于六月十日，曾经颁布一道有利于农民的重要法令，将地主所占据的公田，一概交还农村公社。有公社三分之一的社员要求分割土地，亦可照准，使公田变为农民的私产。随后又把一部分国有产业分成片段，廉价出卖，以扩张耕地。这样一来，无土地以及土地甚少的农民，都变成土地私有者。

山岳党分裂

因社会成分之不同，山岳党分裂为三派，即右派，中派与左派。右派以丹塘为领袖，都是资产阶级的智识分子之代表。他们反对旧制度，因为在旧社会组织中无活动的余地；他们又反对限制私产，也不赞成农民问题的根本解决。丹塘于极大努力之后，似乎有些倦意，而恐怖政策尤非他所喜。中派以罗伯斯庇尔为领袖，代表一切独立的富裕小资产阶级（小商人与小匠人），不愿使大财富流入少数人的荷包，所以想铲除社会上极端的不平。然又反对消灭阶级，反对共产主义。他们以卢梭的理想为依归，公安委员会是其支柱。左派自马哈特被刺后，以黑伯特为领袖，大率代表那些生活最无保障的人，如小贩，工人，贫苦农民之类。他们的主要势力在国民会议以外，巴黎公社即其拥护者。他们愿意革命达到极端的民主主义，被公安委员会目为过激的革命派。

罗伯斯庇尔翦除异己

自从恐怖政策实行以后，隙风党不用说已被消灭，即各地的反对派也渐渐肃清，那时掌握法国政权的，外表上固然是山岳党，实际只是公安委员长罗伯斯庇尔。他在恐怖时代，很像一个生杀予夺任意施行的独裁君主。他怕丹塘和黑伯特等夺他的政权，斗争便渐渐激烈。后来罗氏见黑氏所提倡的尚理教（Worship of Reason）很得人民的信仰，便斥责道："无神主义有妨国民的信仰自由！"迫令黑氏废弃其说，同时又弹劾其罪状于议会，黑氏及其党徒十余人，卒于一七九四年三月都死于罗氏手下。罗氏自将黑氏等处决以后，巴黎大部分工人都愤恨罗氏，这无异山岳党折断了一个左手。至于丹塘呢？他见黑氏惨死，恐自己也遭同样的命运。因在国民会议中说道“任意捕杀人民不是革命的本旨”，同时他又主张赦免一切政治犯。罗氏又趁着这个机会，指丹塘这种言论为企图反革命，请议会弹劾他。那时的议员都怕罗氏的势力，谁敢道个“不”字，因于同年四月又将丹塘等一派人处死刑。自丹塘等被斩首以后，一般中等阶级及依附于丹塘的军人又无不反对罗伯斯庇尔：这无异山岳党又割断了一个右手。剩下的就是罗伯斯庇尔的中派。这样翦除异己，能说不是革命队伍里所受的损失么？

过火的恐怖

自山岳党分裂，罗伯斯庇尔一派专政以来，恐怖政策更为严厉，在南特（Nante）地方，卡隙儿（Carrier）下令将大批的罪人投于水中，各俘虏也有被装在船内，将船洞穿，沉入河中的，人们称此举为共和的婚礼与洗礼。大家称断头台为“国家窗户”或“国家剃刀”，便知道恐怖制度的过火处。革命法庭的活动，因此陷入一种无意义的屠杀中；人们竟为杀人的缘故而杀人。当革命法庭找不到著名的囚徒供其牺牲时，即杀戮一大批贫苦和不著名的人，至于他们的罪状，几乎没有提起的价值。手艺工人，农民，用人，厨夫，缝妇，洗衣妇以及各种各样的妇女，常因微小的罪过而断送生命。我们试举一些例子来：有一个青年喊做格霍德尔（Grondel）的，因为在钞票上写上“君主万岁”，遂被处死刑。一个贫民学校四十六岁的女教员，也遭遇同一的命运。两个皮匠因为对于贫民所供给的“鞋子不好”，必须于十二月二日走上断头台。一月七八两日有两个妇女被杀，因为她们定了一份王党的报纸。一月十六日有一个书记被杀，因为他诅咒过国民会议。二月间的牺牲者除掉贵族外，大半为制面包人，旧货商人，马夫，兵士，理发匠，日工和农民。四月二十四日，维渚有三十三个居民被杀，因为他们曾以友谊的态度接待普鲁士军人。五月五日有一个化学家被判死刑，他向法庭主席科芬拉尔（Coffinhal）要求缓刑四星期，以便完成一种重要的发明。

科氏答道:“我们用不着学者!”五月十日所杀的人当中,有七十岁以上的女教士;还有一位洗衣妇人,因为替王党洗过衣服,也被杀。自此以后,每日所杀的人更多,平均可有八十人。当六月十六日一天已经杀了五十四人;内中有三十九个工人,十个用人和雇员。以上所举的例子已经够了。因为一直至罗伯斯庇尔倾覆时为止,每日杀人表上差不多保持同一的比例;每杀五十人,内中约有四十人属于贫苦和劳动阶级,所有这些人,都是罗伯斯庇尔从前所称的人民。

罗伯斯庇尔被杀

自山岳党左右两派被罗伯斯庇尔翦除以后,他的大政敌总算已经除尽;可是他还怕同党派算计他,因于同年六月发出一种新法律来保护自己。这个新法律规定:凡造谣惑众和提案害及自由的人,一律处死刑。这个法律实行以后,不到一个月的光景,就有一千三百多人因触犯新法而被杀。国民会议的议员,无不人人自危,大家都觉得非打倒罗伯斯庇尔,自己的生命便都时时在危险中。于是就联合巴黎公社底下的各区反罗氏的民众,一致准备推翻罗氏的个人独裁。即于炎月（阳历的七月十九日到八月十七日）九日发动，议员在议会提出弹劾案，民众及兵士则包围议场，罗氏以为可以用一篇演说词，就可以战胜反对派，于是从容出席答辩，各议员便高呼:“打倒暴君！打倒暴君！”民众呼声应和，这时候虽有一部分巴黎公社的委员带领一部分人民保护罗氏，可是寡不敌众，反罗氏的民众，终于冲进了议场。罗氏知其结果，必与丹塘，黑伯特同样悲惨，乃举手枪自杀，可惜只击碎了牙床骨，没有致死。因之，罗氏及其党徒二十一人被捕到革命法庭；结果，也于七月二十九日死于断头台上。三十日及三十一日之间，罗氏的中派又被捕杀了七十余人。这叫做炎月革命，而施行专政拯救法兰西的山岳党，也就从此完全覆灭了。

一七九五年的宪法与炎月党的胜利

山岳党的势力完全消灭以后，温和派及反动派就握国民会议的全权。同时中等阶级又组织种种团体担任巴黎市内的警备以为后盾，国民会议便下令解散巴黎公社，解散雅各宾俱乐部，取消公安委员会和革命法庭。

不久又下令废止一七九三年的宪法，另任委员着手于新宪法的起草。这个新宪法是一七九五年九月二十三日公布的，算是法国的第三次宪法。这个宪法，除篇首冠以人权与民权宣言以外，其要点如次：

（一）立法机关由两院组成，一为五百人院（即现今的众议院）；一为元老院（即现今的参议院）。元老院的议员二百五十人，满五十岁的男子才得充任。

（二）行政机关设督政部，由立法机关选出督政官五人组织之，管理一切行政权。

（三）五百人院有提出法律案的特权，元老院有可决否决的特权，督政部有执行的特权。

（四）督政官每年改选一次，议员五年改选一次。

（五）五督政官以一人充当首席督政，保管国玺，任期三月。

（六）选举新议员时，应由国民会议议员

中选出三分之二。

上面第六项是临时添入的附则，意在翦除王党的势力，并防止劳动阶级代表之增加。因为当时王党的势力甚大，恐其当选议员，危害共和前途。王党见选举的限制大不利于己，便大事反抗，要求议会修正。十月五日，王党因所求不遂，就率领护国军和反动的盲从群众三万人进攻议会。其时炮兵少尉拿破仑（Napoleon Bonaparte）受国民会议的命令，带了六千精兵和他们开战，结果护国军大败，王党的计划，就完全打消了。于是国民会议自行解散，根据新宪法，召集新议会，并建设新政府。是为恐怖时代之告终。此后法兰西的政权，就暂归于炎月党人的手中。他们对于王党，固然十分的抵抗；但对于劳动者，比山岳党还压迫得厉害。他们完全站在中等阶级的基石上，代表资本家右派的势力。“共和国家灭亡了，强盗们胜利了！”罗伯斯庇尔的预言行将实验。在炎月九日的胜利者中，的确有不少的强盗——例如王党及隙风党的反动分子，他们现在是站在统治的地位上。他们混合起来，形成一个炎月党，把山岳党的分子一一翦除，顶上了一块共和招牌，干那分赃的勾当；大多数人民，仍旧和恐怖时代一样，得不着丝毫利益。一幕法国大革命的悲喜剧便这样收束了！

练习问题

（一）法国大革命的过程，异常复杂，试探究其所以复杂的客观原因。

（二）在法国大革命的发展过程中，约可划分几个阶段，各阶段中的动力果相同否？

（三）试就一七九一与一七九三年两种宪法作比较的批评。

（四）山岳党专政时代，有何功过？

（五）法国的工人与农民在大革命各阶段中所起的作用如何？

（六）法国大革命的果实落到那些人的手中？

参考资料

（一）《法国大革命史》（上下两册——神州国光社）

（二）《法国革命史》（上中下三册——亚东图书馆）

（三）《法国革命与阶级斗争》（新生命书局）

（四）B. M. Johnston：*The French Revolution*

第四章　拿破仑与法兰西帝国

第一节　产生军事独裁的过程

督政部的对外政策

督政政府是根据第三次宪法于一七九五年十月二十六日组成的。其重要机关，就是督政部，元老院及五百人院，其组织方法，大都和宪法所规定的相同。惟督政官每年改选一人，两院议员每年改选三分之一等事和原来规定稍有出入而已。这种变更，纯在免除一时交替，起大变激，致碍对外方针的弊病。但是督政政府为什么要积极的对外呢？这却有三个原因：第一，当时法国兵力强盛，莱茵河左岸，已经没有抵抗法国的军队，正好利用这种势力发扬国威，并宣传“自由平等博爱”的革命原理；第二，当时的革命的民气非常激昂，难免又发生对于统治阶级不利的变故，不如驱之对外，以消弭内乱于无形；第三，当时欧洲对法的第一次同盟虽已解散，而奥英二国，却是革命以来的大敌，若不使之屈服，难免其援助国内的逆党，危害共和。因此三种原因，督政政府便极力主张继续对外宣战，首攻奥国，次攻英国。

拿破仑初露头角

一七六九年八月十五日，拿破仑生于科西嘉（Corsica）岛中。这个岛虽于拿破仑诞生的前年为法国所领有，而他却是意大利的种族。他是贵族的后裔，而家里很贫，在十岁时便入布里恩（Buienne）陆军学校学习军事，前后共学习了六年，毕业时虽得了少尉的职位，但他很不愿意，时时告假回乡，以谋科西嘉岛的独立。到了一七九三年，因为阴谋破露，致全家被逐，拿破仑便逃往法国避难。二年之后，在军队中立了一点战功。一七九五年又曾带兵保护国民会议，击破王党的护国军，威名为之一震。一七九六年春，督政部令三大军进攻奥京维也纳（Vienna）：爵丹（Jourdan）率第一军向北溯梅因斯河（Mainz）而进；穆霍（Moreau）率第二军经墨林（BIack Forest）沿多瑙河（Danube）而下；拿破仑率第三军入侵伦巴底（Lombarby）。爵丹和穆霍所领的军队，都被敌军打败；惟拿破仑节节胜利，敌人都割地赔款以降，致北部意大利全为拿氏所征服。嗣后，拿氏立即提师直向维也纳进攻，奥军又大败，退至离维也纳仅八十哩的地方，奥国乃派代表求和，割地赔款，屈服于法国。拿破仑在这时，真是天之骄子，为全法国国民所一致崇拜。拿氏的英雄事业，就从这一次的武功开始。

督政部的失败

督政部对外虽有胜利，但对内却很少建设。共和党员巴倍夫（Babeuf）在一七九六年春组织一个平等社，准备推翻督政部，改建“平等者”的共和国，那知事机不密，巴氏和其党徒通通被处死刑。后来国会议员改选三分之一的结果，王党占了多数，督政部大起恐慌，便派人到意大利向拿破仑求援，拿氏便派部将奥臼霍（Augereav）率兵回巴黎援助政府。一七九七年九月三日，奥氏带兵包围议场，逮捕王党议员多人，并放逐到南美洲，不许回法国。同时督政部又下令否认王党的选举，并取缔王党的报纸，因此反动派势力就完全消灭了。但督政部的信仰到底不能挽回，因为它对于农工商业的凋敝，财政的紊乱，纸币价格的低落等等，不知加以整理，只图在被征各地横征暴敛以充战费和政费的缘故。

劳苦功高的拿破仑

然而拿破仑在外国的武功，仍继续发展，而各国的共和主义者，也都借法国军队的力量，纷纷起来革命，建设共和国家，这一点，对于欧洲实有很大的革命意义。因法国军队所到之处，封建制度亦随之崩溃了。例如罗马，热诺亚（Genoa）和卢加（Lucca），拿不勒（Naples），瑞士等国，都由专制国家而变成了共和国家，因此，又激起英奥俄诸国的第二次大同盟，进攻法国，结果又被法国军队各个击破。拿破仑在此时又远征埃及，师次开罗（Cairo），后来虽为英国及土耳其的海军所败，但仍能死守开罗。不幸法国督政部一天天的腐化，惹起国内的骚动。拿氏恐后方摇动，乃派部将留守埃及，自己跑回巴黎。巴黎市民见拿氏回国，个个都出城欢迎，高呼：

“英雄归来了！”

雾月十八的政变

拿破仑归国以后，便和其弟路息安（Lucian Bonaparte）及督政官息叶耶斯（Sreyes）等同谋，决心用武力解散督政部，建设新政府。拿氏最初发表一篇宣言，说明他的意思。其对于督政部的责难一段说道：“我留给你们的法兰西，是光华灿烂的，你们将它弄成一个什么样子吧？我留给你们的是和平，现在看见的是战争；我留给你们的是胜利，现在看见的是失败；我留给你们的是从意大利运回的千百万佛郎，现在看见的是颠连困苦，到处横征暴敛。几十万战士，我认为是我的荣誉的良伴，你们是怎样处置他们呢？你们是死了！……这种状况不能够继续下去；它在三年之内将把我们引到专制主义之下。”许久以来，法国没有一个私人用这样的口吻说话，所以，民主派对此十分害怕。果然，至十一月八日（即雾月十八日），拿破仑便亲身到议场，宣言废除督政部，建设新政府。元老院的大多数是参加阴谋的，所以没有人出来反对，只有五百人院很激烈的反抗拿氏，说他蹂躏了宪法。当拿氏走到五百人院的门口时，内面的议员便大呼："打倒专政者！宣布他不得受法律的保护！兵士们滚开些！"并且有一位民主派的代表毕歌列（Bigonuet）向前拿住拿破仑的手臂大骂道："莽夫，你走罢！你蹂躏了法律的尊严！"拿破仑这个英雄，登时惊慌失措，面色灰白，显然失去了自制的能力。幸而有他的勇敢的弟弟路息安，竟要求兵士去驱逐那些反对派的议员，拿氏迟疑了一刻，一声令下，一个个反对派的议员，立即被兵士赶走。于是五十名拥护拿破仑的议员，由路息安主席，议决组织一个执政政府，设执政三人，并设第一执政一人，以专责任。拿破仑便被选为第一执政。于是督政部便被废除，而新的执政政府就从此告成了。

第四次宪法

拿破仑自为第一执政以后，便和息叶耶斯（三执政之一）制定一种新宪法，这可以说是法国的第四次宪法。这个宪法，便造成一种变态的独裁政治，而共和制度不过是表面的虚名。现在将其内容的要点列在下面：

（一）元老院，以八十名议员组成，任期终身，由立法院议员，最高行政官和裁判官选任，其职权在于答复政府的谘询。

（二）立法机关由立法院和谘议院成立。立法院议员共百名，谘议院议员共三百名。其职权，立法院则决议谘议院所移交的提案，谘议院则审查政府的提案移交于立法院。

（三）行政机关由三名执政组成，任期十年，拿破仑第一执政，掌握政治全权，任命县郡市的长官和警官，第二和第三执政则辅佐第一执政。

这个宪法所规定的新制度，很和路易十四的制度相似，后来虽经种种变迁，但至今仍为法国政治组织的根据。当这新宪法编成的时候，拿破仑以为政体的改革，不必和国民说明理由，只可问其赞成不赞成，因此，他便用"国民表决"的方法，使国民表决新宪法的可否。结果，赞成者占三百零一万一千零七人，反对者不过一千五百六十二人而已。亦可见当时法国人民对拿氏信仰的一般了。

拿破仑的权势

拿破仑在国家管理的新形态中，表现他对于法兰西人认识十分的确切。他运用政治家全部手腕，在新的设施中，给予最多的民主主义的外表和最少的民主主义的内容。他力求借其政府的光华灿烂去炫惑群众，并借他所表现的决绝态度，使群众留下一个深刻的印象。他用共和的外表罩在国家上面，使群众相信革命的成就，是由他拯救并保存的。各党派都对他怀抱希望。他的人格和意志马上就统治一切。在执政政府的同僚原来是和他平权的，但他们在最初的时候，即感觉到他的优越处。渚哥斯（Ducos，执政之一）是一个无关轻重的人，他很崇拜拿破仑，所以无条件的赞成拿氏的意见。息叶耶斯（也是执政）在实际的国家事件中表现毫无经验。这个摆空架子的僧侣式的学者，现在竟以完成自己的宪法为满足。此外他也很机警，看出了拿破仑在民间的威势。他于三执政第一次会议之后，马上就道："我们有了一位先生，他懂得做一切事情，能够做一切事情，并愿意做一切事情。"其实情形也正是如此，拿破仑在实际的政府事件上，已经有充分的经验；他的天才对于解决当前的问题十分敏捷，遂将这个满具矜夸与幻想的修道院长（息叶耶斯）推在一边了。拿氏在国民之前，独力代表执政政府；至于他的同僚，几乎不为人所注目。息叶耶斯常提出建议，由拿氏加以决定；至于渚哥斯自己从不发表什么意见。这位法兰西的第一执政拿破仑，无异是专制魔王路易十四再出世。然而从革命高潮中疲惫下来的法兰西民众，竟一致的服从他！

反动的政局

拿破仑力求与资本家联欢，此举固不难达到目的，因为他们视拿氏的武力为其经济利益的保障。他很决绝的取消强迫借债，遂与资本家言归于好。他又废弃严厉的《人质律》，得到王党一大部分的来归，因为王党的人并不限定都是波哈镑朝的信徒。凡从前被放逐或不受法律保护的人，现在都因大赦令而恢复自由了。同时法兰西国内和平秩序的恢复也极为迅速。所以拿破仑将雾月十八日的政变所夺的统治权已经巩固起来。他的手段固然敏捷，但他的幸运也不小。那时还有一个拥护他的大党出现，这个党没有一定的政治纲领，只是要求秩序与安宁。拿破仑果然造成秩序与安宁，但是以牺牲自由为代价的。法兰西这个横暴的武人所造成的安宁，不是幸福的安宁，而是坟园安宁；他对于公共状况所给予的秩序，不是蜂窝般的秩序，而是营舍的秩序。购买这种安宁与秩序所出的代价，对于法兰西人民的幸福过于昂贵；因为他们所获得的是一个左手持命令右手执匕首的专制魔王。法兰西一七八九年以来的革命成绩，完完全全被拿破仑蹂躏了。自拿破仑第一执政当权的时候起，法兰西的政治又走进了旧的轨道。

军事独裁下的民众

法兰西革命的民众在一七八九年攻夺巴士提尔狱的时候，在一七九三年打倒隙风党的时候，在炎月革命反抗罗伯斯庇尔个人独裁的时候，是如何勇敢的反抗统治阶级啊！为什么拿破仑这个开明的专制魔王一来，他们反俯首帖耳的服从他，甚而疯狂的拥护他呢？我们现在来就各阶级民众加以分析罢。

先说资本家，拿破仑挟着坚固的武力，本来就大有助于资本家的利益。资本家看出这个青年将军的指挥刀和他的光荣以及他对于军队所具的大势力，就是防御民主主义的骚扰与运动的城壁。他们对于施行强迫借债的督政部，愤恨填膺，只要能安然剥削群众的劳动力，无论何种新政府的形态，都认为正当的。拿破仑的军事独裁，能够完全满足资本家的希望。资本家获得这样的保镖，当然要拥护他。

其次，小资产阶级易于受惊，更容易屈服于这种新状况之下。他们最能干和最活动的分子，都在革命的斗争与危机中损失了：现在只剩下一种不活动的群众，他们是不容易兴奋的，对于战争的光荣和战争的炫示，印象感觉最深，拿破仑对于这两件事的成分最为丰富，拿氏如果造成种种秩序，使一般市民能够安居乐业，当能获得这些人的同情。

再次，工人们曾经过无数起的暴动，并于一个长时期中在巴黎取得政权。他们对于革命的大事变虽尽过不少的力量，但他们在这个长久而多变化的革命过程中，差不多没有替自己得到一点利益。他们受尽一切痛苦：如生活的昂贵，纸币的跌价，放债者的重利盘剥与物品的缺乏，和棍棒一样击在工人的头上。因生产停滞和商业交通断绝的影响所发生的失业，更成为工人的一种痼疾。所以他们眼见的一切都是欺骗他们的；因此，对于拿破仑的刺刀驱逐五百人院中民主派的活剧只作壁上观，无所感动。对于新的政权，也一样安安静静的看着。他们唯一的希望，就是赶快恢复生产的秩序，使他们有工可做，不致成为饿殍。他们从极度的激烈斗争中疲倦下来，愿意暂时度一度安静的生活。

最后，还有一个人数最多的群众便是农民。这些人自获得一块土地之后，已经变成保守派。他们在民主派之下所经历的，只是骚扰，所以极力反对这一派；他们又痛恨纸币，当着纸币盛行的时候，不肯将生产品输入市场。后来征发物品之事发生，他们更为愤怒，以为政府要牺牲他们去养活首都的人民。有些人向农民说谎，扬言这是民主主义国家设施的目的，因此，他们更忿恨民主主义者。而且，一般农民一经坐在自己的土地上，便只看见自己的利益；既缺乏共同的意识，也不愿对于全体人民有所牺牲。他们最怕的是扰乱，使一班亡命者得重返祖国，要求收回革命时所没收的土地。一个民主主义的政府，不足以给予他们以充分的保障；所以很愿意有一个具有铁腕的政府出现，能够确切维持现状。因此，他们认拿破仑是一个最适当的人物。拿氏的军事天才，使法兰西成为欧洲第一等的武备国家，足以保障他们不受外国的任何攻击；而他的精力又足以镇压国内的一切扰乱。他们只要手中的土地保得住，便竭诚欢迎拿破仑的专制主义。他们将自己的几十万儿子供给他去从事战争，并且觉得每一次远征都是为谋土地利益而起的。他们可以说是拿破仑专制主义的主要支柱。

第二节　拿破仑的武力侵略

英雄主义的好梦

拿破仑始终是一个英雄主义者。他之所以用武力侵略欧洲各国及埃及叙利亚等地，完全是想实现光荣的英雄主义的好梦。他于一八〇二年夏间曾向国务会议宣言道:“假使西部欧洲有重开战端之意者，则愈速愈妙，盖为日过久，则若辈渐忘其失败之耻，吾人亦且减战胜之荣也。……法国所要求者，乃光荣之事业，则战争尚矣。……邻国而欲和平也，吾亦何尝不愿，然一旦有战争之必要，则吾且先发制人矣。……就法国现状而论，吾以为所谓和平条约者，不过停战条约而已，而吾之将来，必以继续战争为事者也。”一八〇四年，他又曾对人说道：“欧洲若不统治于一人之下，则将来永无和平之一日，——必有皇帝一人，以各国国王为其官吏，分各国领土于诸将，凡意大利，巴瓦利亚（Bavaria），瑞士，荷兰诸国均应封一人为王而兼为皇帝之官吏。”我们读拿氏这两次野心勃勃的话，便可以知道拿氏好战喜功的心理。欧洲出了这么一位混世魔王，那得不杀气腾腾大动干戈呢！我们现在就将这位魔王的历年战功，分别叙述于后。

历年战功的概略

（一）远征埃及——拿破仑自从击败奥大利和它订了《Campo Formio 和约》以后，乃重返巴黎。在这时候，法国人民对他还未到十分拥戴的地步，他自己也不愿赋闲于巴黎，变为国人不注目的人；所以他极力计划远征埃及，显示他的战功。当时英法两国尚在战争状态中，拿氏力陈远征埃及的计划于督政部。以为果能征服埃及，则不但可以夺取英人在地中海的商业权，而且可断英人东通印度的要道。督政部听其言，命率精兵四万并大批海军往埃及，并且聘科学家工程师一百二十八人随营，负筹备他日殖民事业的责任。一七九八年五月十九日，法国军舰自都龙（Tonlon）出发。因在夜中，所以驻在地中海的英国军舰，绝无所觉。七月十九日抵亚历山大城，登岸，即大败土耳其人于金字塔下。至八月一日，英国海军大将纳尔逊（Nelson）率海军攻至亚历山大城，法海军大败，于是法军通欧洲的要道亦绝。

（二）征叙利亚（Syria）——自土耳其军队在金字塔下失败以后，土政府即和法国宣战。拿氏乃于一七九九年率兵循道向叙利亚而进。不幸在哀克尔（Acre）地方，竟为土耳其及英国之联队所败，于是又返师埃及，复占开罗。恰巧这时法国内部政局非常危迫，外患也如骤雨急至，拿氏乃潜回巴黎。

（三）侵略罗马——拿氏潜回巴黎时，法人大为拥护，竟能一手改组法国政府，自居第一执政。当时法国驻罗马的大使为拿氏的兄约瑟夫（Joseph），罗马的共和主义者得约瑟夫的帮助，即起兵革命。在市街混战的当中，有一法国将官被杀，于是法国遂借口派兵入罗马。一七九八年二月十五日，罗马共和党人便宣布改建共和国。法军除得新国所输的六千万佛郎而外，并将教皇宫内的美术品多种移往巴黎。

（四）侵略瑞士——一七九八年一月，法军因瑞士Vaud州之勾结，侵入瑞士，击败Berne州的军队，并占领该城。同年三月，夺其库中所存的八千万巨款，并建设黑尔威抵克（Helvetic）共和国。

（五）攻占拿不勒斯（Naples）——自从英国海军大将纳尔逊战败法国海军以后，英军即返驻拿不勒斯，意欲完全驱逐法军于教皇领土之外。一七九八年十一月，法军攻入拿不勒斯，大败英军。赖王族登英舰逃走巴娄磨（Palermo）。法人遂于一七九九年一月改建巴德诺波（Parthenopean）共和国，且劫其国库，携其美术品而归。

一七九九年春，法国军队颇有所向无敌之概。天然的疆界，已如愿以偿。北得莱茵河左岸的奥大利属之尼德兰（Netherland）和神圣罗马帝国的领土，南得沙福亚（Savoy）公国。其他如罗马，巴达维亚（Batavia），黑尔威抵克，黎古利亚（Liguria）和西沙尔皮恩

(Cisalpine)五个共和国，都成为法国的附庸。同时拿氏并已占埃及，向叙利亚而进以征服东方。

（六）二次攻入奥大利——一八〇〇年十二月，拿氏的宿将毛鹤（Moreau）进攻维也纳，大败奥军。于是有一八〇一年二月吕内微尔（Luneville）的和约。奥国仍旧让了不少的地方给法国。

（七）攻占葡萄牙——法国因英国海军继续不已的骚扰，乃实施大陆封港政策。惟葡萄牙乃和英国交通，允许英国船只得以自由入港。一八〇七年十月，拿氏令葡国对英宣战，并令其没收英人的财产。葡国仅许宣战。拿氏即命将军许诺（Junot）率兵往攻葡，王室遂乘舰逃往美洲的巴西，法军遂占据葡萄牙。

（八）征服西班牙——一八〇八年十一月，拿氏率精兵二十万人亲征西班牙，十二月四日入其京城，废除一切寺院及教会中的苛例，允许人民以职业上的自由，颇得西班牙一般工商业者好感。

（九）战胜普鲁士——一八〇六年十月十四日法军大败普军于Jena地方，夺其要地，普王乃与之言和，臣服法国。

（十）东征俄罗斯——俄罗斯因本国的商业关系，很需要中立国的船只往来运输货物，以致不能完全遵守法国的大陆封港政策，拿氏便决心大举攻俄。一八一二年，拿氏募集新兵五十万人攻俄，所向披靡，惟俄人用坚壁清野之计，沿途败退时，将房屋焚烧，生活资料都搬迁一空。使法军饥寒交迫，不能久持，所以法军虽然攻入了莫斯科，终竟不能不退出。可是兵士死亡过大半了。这可以说是拿氏武力侵略的大失败。

武力侵略的社会基础

以上是拿氏历年战功的大概。至若其他的大小战争，举不胜举。拿氏好战喜功，固然是由于他的英雄主义之驱使，但法国民族主义之勃兴，也是最大原因之一。法国的民族主义是怎样促成的呢？一方面由于法国革命时代各反动国家的联合压迫，另一方面则由于国内工商阶级势力的发展，拿氏若不能得着国内工商阶级的拥护，又怎能东征西战，攻城夺地，毫不发生内部的牵制呢？中国古语有云：“兵，凶器也；战，危事也。”法兰西的工商阶级，岂有不领悟之理？只因其利益所在，不得不拥护拿氏去开辟市场，抢劫财富！拿氏也乐得耀武扬威，完成其个人英雄主义的好梦。只可惜欧洲大陆的民众，太受牺牲了。

第三节　法兰西帝国

拿破仑帝制自为

拿破仑为野心所驱策，总是向前猛进，他自己已经做了第一督政，尚不满足，还要希图外表的光荣，他本是从革命战争中跳出来的一位英雄，口中誓死拥护共和政体的一位人物，现在一旦独握中枢大权，便改变以前的态度，准备名副其实的做皇帝，这本是不必大惊小怪的事。但是随便什么人都容易看出，拿破仑虽久已成为一个事实上的皇帝，但在形式上仍应有一番举动。在法兰西的各会议中，也有一种热烈的煽动，有人预备提议请拿破仑做法兰西的皇帝。一个皇帝，就是表示一个强大国家的统治者，这个尊号，必足以满足法兰西人民的野心。它使人们连带想起古代皇帝的尊严，将黄袍加在革命中第一个暴发者的身上，这种喜剧，是显明而无味的，但它毕竟成功了。

请愿与劝进

一般官吏和著名的士绅组织一种请愿队，向第一督政陈述他的权位必须改为世袭，才能够保障法兰西使不受内外仇敌的侵害。这次请愿竟将老奴隶机关维持会议推动了。这个会议便于一八〇四年三月二十日送一种文书到第一督政处，申明他的世袭权位，对于法兰西的幸福是万不可少的。这一封满纸奴气的劝进书中说：“第一督政！你开了一个新纪元，但你必须使这新纪元永久保持下去。光荣如果不能长久存在，绝不算一回事，我们相信你已经具有这样伟大的思想，因为你的创造天才能涵盖一切，靡有遗忘，但你不要迟延下去。时代，事变，诡谋者和野心家所造成的纷乱，使法兰西人不遑宁处，你因此感受压迫。然你只要替法兰西创立法制，巩固你的子孙万世之业，你便可以挽回时代的横流，宰制事变的发展，并解除野心家的武装，使整个的法兰西共享安宁幸福。第一督政！你只管相信本会议是用一切国民的名义向你说话。”拿破仑自然十分欣喜，但还嫌不十分满足。于是答复他们道:“我对于你们的文书未尝时刻忘怀。它变成我的不断的思考的对象。你们以为国家元首的世袭是保障人民，消灭我们仇敌的诡谋和野心家扰乱所不可少的。同时你们又认永久保障平等与公共自由的胜利以及巩固民族与政府的安全，必须完成许多法制。当我愈加注意于此等大事业时，便愈加觉得我处此重要的新环境中，非常需要你们的明哲的忠告与经验，来确定我的一切观念。因此我要求你们将你们的思想完全发表出来。”维持会议立即议决:“本会议确信将共和政府交给拿破仑改为世袭的皇帝，对于法兰西人民有极大的利益。”维持会议此项决议于五月三日送到研究会议，这个研究会议对于第一督政所表现的谄谀与奴性，更是登峰造极，虽然有一位老共和主义者卡洛特反对恢复君主政治，但终于为大多数的奴性会员所通过了。

维持会议遂于一八〇四年五月十八日议决宣布第一督政拿破仑为法兰西人的皇帝，是为拿破仑第一。拿氏的皇帝名称全文至为矛盾，就是:“奉天承命并由共和国宪法产生之法兰西人皇帝拿破仑第一。”由共和国宪法而产生一位奉天承命的皇帝，真是滑天下之大稽。然而拿破仑是一位英雄，英雄所做的事，总是非常超绝的啊！

历史的逆转

法兰西人民对于宣布新皇帝一事，并没有什么特殊的表现，因为民众对于这个已经宰制了法兰西的专制统治者称为第一督政或称为皇帝，是漠不关心的。然军人与统治阶级却大为兴奋。从革命中崛起的一般人物，也低首下心向他求荣。拿破仑此时完全依照旧君主制度的规模，组织他的宫廷。此时所确立的君主专制，回转到一七九一年宪法的后面甚远，并且超过一七八九年以前波哈镑朝君主专制的实质。革命好像是跑了一个圈子，此刻又逆转到它的出发点去了。

加冕的喜剧

拿破仑于一八〇四年十二月二日在巴黎圣母院教堂（Notre-Dame），以极堂皇富丽的威仪，举行加冕礼。教堂，全体教士，新贵族，一切高级官吏以及外国代表一齐到场。自教皇在圣坛上替拿氏行傅油式，并加冕宝章祝福后，正想将皇冠加在他的头上，但拿氏急忙攫得皇冠自己戴在头上。然后和皇后升登宝座，宣读载在福音上的誓言，再由司仪官大声宣布：

> 至尊无上的法兰西皇帝业已加冕，并升登宝座。谨祝皇帝万岁！

参加典礼的人均高呼“皇帝万岁！”，同时外面礼炮声音大作。这一幕“共和国宪法产生的”皇帝加冕的喜剧，就算闭了幕。

帝国的成绩

拿破仑即帝位之后，第一便使教会附属于政府；第二便大赦贵族的政治犯，使逃亡的贵族均熙熙攘攘的归国；第三是恢复革命前的风俗习惯；第四便严令检查出版物，限制言论自由。这一切，都是拿氏为自己统治地位而设想的。可见统治阶级的举止，在表面上都是为国家人民谋幸福，实际上却都是为自己打算呢。不过，还有一件事，值得我们注意的，就是拿氏在第一督政任内，曾经亲自监督编撰了一部很完全的法典，为法，德，荷，比等国法律的范畴。这部法典，世人称为《拿破仑法典》，在当时的社会情形看来，这部法典，确有几分平等主义贯彻其中；但终究脱不了保障资产阶级的平等主义的意味罢了。拿破仑的法兰西帝国，有了这部法典，更表现得在历史中具有几分特色。聪明的拿破仑，独具特色的拿破仑的法兰西帝国，立使法国的民主革命，重复转了一个圈子！一切进化，都是辩证式的，有革命必有反动；有反动亦必再有革命，我们从此更多得一项证明。

第四节　英雄主义告终

各国民族主义的抬头

拿破仑的武力，虽能屈服西部欧洲诸国的君主，而不能阻止蒸蒸日上的民族精神。因为西班牙，德意志，意大利的人民均以屈服于法国皇帝之下为可耻，表现得最有力的便是普鲁士。一八〇七年十月，普鲁士王为人民所逼，决心改革国内政治，废除佃奴及阶级制，允许人民自由经营，充实国民经济。同时又实行征兵制，准备举国抗法的战争。普人自废除佃奴及阶级制后，极力注意于激起民族精神之活跃。此种运动的领袖，为著名哲学家费希特（Fichte）。他在一八〇七年至一八〇八年间，在柏林公开演讲，唤起德国人的自强精神，努力于抗法的斗争。一般学者都随声附和，而普鲁士人民的爱国精神，为之大振。拿破仑的英雄主义，已从此预伏了一个大敌。

被压迫民族联合战线

自拿破仑东征俄国失利以后，五十万大军，只救得两万人归来。他虽然回到巴黎，重新召募六十万新军，但国内人民已不若从前爱戴他了。加之自从他征俄失利消息传到欧洲各国之后，各国人民都准备着复仇建国的工作。首先叛离的，便是普鲁士。普国大将约尔克（Yorck）首揭义旗，联俄攻法，奥大利与瑞典继续起兵。拿氏孤军抵抗联军于里浦椎格（Leipzig）先后凡四日，卒为联军所败，死伤不下十二万人。德人称此战为“民族之战”（Battle of Nations），意即各国民族联合为争独立而战。拿氏既败，莱茵河同盟先叛，荷兰人亦起而驱逐法军于国境外，英国大将威灵敦（Wellington）亦援助西班牙以逐法军。至一八一三年冬，西班牙全境已无法军足迹。威灵敦遂越皮利恩斯山（Pyrenees）以侵入法国。

拿破仑的归宿

拿氏虽败，联军诸国还想和他言和，但以法国放弃以前所侵占的领土为条件，拿氏不允。联军遂长驱法国，攻入巴黎，拿氏被逼退职。但联军许其仍得用帝号，退居爱尔伯岛（Elba）。拿氏虽仍以帝号自娱，实际上已成俘虏。故法国波哈镑朝（Bourbon）乃得乘机复辟。但复辟之后，一切措施颇不满法人之意，同时，同盟各国又复互相猜忌，未能一致。拿氏知道这些消息后，突于一八一五年三月一日逃出爱尔伯岛而返国。法军闻风兴起，仍旧投到拿氏麾下，同盟各国闻之大骇，又决定联合进攻法国以逐拿氏。拿氏闻英将威灵敦，普将布鲁舍（Blucher）已率军到达荷兰，乃急亲率新军以御之，先战败普军，然后进攻驻在滑铁庐（Waterloo）的英军。

在一八一五年六月十八日的那一日，英军几不能支，幸得普军来援，遂大败法军。拿氏退路断绝，乃向海岸而逃，不得已投入英国军舰。英政府即以俘虏待之，将他拘押于圣海伦那岛（St. Henena）。拿氏居此六年，郁郁而终。这便是拿破仑英雄主义之结果。以拿破仑这般的本领，处于那般民气激昂的法国，尚不能以武力统一欧洲，实现欧洲皇帝之梦想，而卒为被压迫的民族联合势力所败。处于今日全世界被压迫民族联合以趋解放鹄的之时，还有帝国主义的国家如英，美，日，法等，想继续侵略各弱小民族，以实现其独占全世界经济利益的梦想，那不是自速其崩溃吗？

拿破仑失败的主因

拿破仑在各国联军包围之中，终于失败了。失败的主因当然在内部，得不到内部民众的拥护，所以横行一世的拿破仑，走到末路，无法再起。法国在一八一一年，遇到绝大的经济危机，加以可怕的饿荒，民众受害最烈，怨声载道，是不待说了。就是资本家对政府也不满意，拿氏感受财政困窘，只好实行间接税：其大陆封锁政策，本来想借此发展法国工业，结果适得其反，致法国与各国商业关系断绝，摧毁工业发展的基础，引起严重的金融危机，许多金融机关因此破产，工厂也纷纷停闭。农民更不堪屡次征兵之苦，一八一三——一四年，兵士临阵偷逃者大有其人。苦于二十二年不断的战争而至精疲力竭的法兰西，当然渴望和平。拿氏除少数职业战士外，在法国已找不到其他拥护者。这就是说，在当时具体环境之下，拿氏已完成其历史的任务，结束了革命，巩固资本家及农民在革命中所得的利益，他们再用不着这位英雄了。从前受人拥护，故对内对外，指挥如意；现在一切都变了，从前拥护他的人，都弃他如敝屣了，他只剩下一个孤家寡人，成了“独夫”，所以在各国民族运动抬头的洪流中，就不能抵御而因之沉没了。

练习问题

（一）拿破仑完成军事独裁的必要条件有几？（对外——牛耳，威权，执政；对内——社会支柱，扳龙附凤，赔偿。

（二）拿破仑的战功是否由于他具有军事天才？除

军事天才外，尚有其他不可缺的因素么？

（三）拿破仑的专制主义与路易十六的专制主义，有无差别？

（四）试探究拿破仑失败的原因。

参考资料

（一）《法国革命史》下册（亚东图书馆）

（二）《现代文明史》第七第八两章（亚东图书馆）

（三）《近代欧洲史》第十六章（黎明书局）

（四）*Eighteenth Brumaire of Louis Bonaparte*, Chap. XX

第五章　维也纳会议与欧洲形势

第一节　维也纳会议的解剖

第一次《巴黎条约》

各国联军于一八一四年三月三十一日攻入巴黎，拿破仑被逐于爱尔伯岛（Elba）之后，联军诸国结有第一次《巴黎条约》。关于拿破仑败后欧洲善后问题之比较易于解决者，已在此条约中有所协定：如法国波哈镑（Bourbon）王朝恢复，仍保有一七九二年的国境；于阿连基（Orange）王室之下，建设一个尼德兰（Netherland）王国；德意志成一个联邦组织；瑞士定为永久中立；意大利的诸君主国家复旧。此外尚有关于共同利益的问题之协定：最重要者为国际河流之协定，例如莱茵河宣告航行自由，些尔德河（The Schelde）宣布开放等。

《巴黎条约》虽然重要，但不能处分欧洲一切问题；所以还须召集一个会议来解决，有名的维也纳会议（The Congress of Vienna），就应运而生了。

维也纳会议的性质

第一次《巴黎条约》上规定："凡加入战争之国家，不论属于何方，均当于两个月内派遣全权代表赴维也纳开会，议决一切完成本条约上所规定之必要的协定。"是明明招请欧洲一切国家公开会议。但联军诸国，另以一种秘密条文，保留决定基本条件之权。关于法兰西遗弃的领土的处分及欧洲均势关系的确定，当依此基本条件以行。几个巨头预定分割计划，维也纳会议所做的事，不过就列强彼此已经协定之基础，加以补充而已；换言之，即登记联军诸国之裁决而已。所以维也纳会议并不是一个和会，不过是在人材济济的厅堂中，在光耀夺目的装饰中，在宴会，跳舞与音乐的迷离中，联军诸国实行分配他们的胜利品；老实讲，维也纳会议就是分赃会议。

在会议中活跃的人物

第一次《巴黎条约》虽定于两个月内开会议，但欧洲各国的代表于一八一四年九月始齐集于维也纳。除通常外交大使外，君主躬亲与会者亦多。到会君主中之重要者，为俄普奥三国君主，尤以俄皇亚历山大第一（The Tsar Alexander I）最有名，外交大使中的重要人物，则有英国的加斯列里（Castlercreagh），威灵敦（Wellington），普鲁士的哈丁堡（Hardenberg），奥国的梅特涅（Metternich）和法国达列黄（Talleyrand）。其中尤以梅特涅与达列黄最活跃。

分赃席上的冲突

亚历山大在维也纳会议里有三个目的：第一，使波兰成为联合的王国，制定自由宪法，受俄国的保护；第二，鼓励别国君主也颁给宪法；第三，组织一个像国际联盟一样的机关，保护各国权利。这些目的，最不适合梅特涅的胃口，奥国的守旧派，都说亚历山大好高骛远，不能成正当事业。而亚历山大亦讨厌梅特涅的圆滑与虚伪，有时竟叫梅特涅为扯谎家。可是冲突的中心是波兰与萨克森（Saxony）问题。亚历山大要求独占波兰，以此引起加斯列里之反对，因英国不愿俄国并吞这块肥肉。亚历山大又提议把萨克森的全部赔偿他的朋友——普鲁士（因普鲁士愿把波兰的一部分让给俄国），而梅特涅又不赞同，恐怕这样一来，普鲁士强大，于奥国有损。不久以前，他们是结成联合战线去打拿破仑的，可是一到拿破仑成了死老虎的时候，分赃问题就必不可免的发生冲突了。

达列黄的成功

在英俄普奥四强冲突之中，从来不让机会从指隙里滑过的达列黄便有纵横捭阖的余地了。达列黄在拿破仑时代，曾任外交要职；拿氏败后，路易十八（路易十六之弟）入承法国王统，即赖其力。他因此为法国新政府的外交大臣，在订第一次《巴黎条约》时，亲当交涉之任。他代表战败的法国，出席维也纳会议，其地位之不利，活动之困难，可以想见。然而他卒能发挥老练外交家的本领，在会议中大施活动，以增进法国的利益，实不能不令人惊佩，许为弱国外交的模范。他瞧着联军各国快要分裂的时候，就与英奥联络，共同阻止俄国并吞波兰以及普鲁士并吞萨克森。他常常引用原则，证明他的行为正当。在这案件里，他所引用的原则，就称为“合法”（Legitimacy）。他说：和议应当把拿破仑所侵略的土地，归还合法的君主，即从前的君主。如果这个原则不能应用，就当退后一步，用“赔偿”（Compensation）的原则，那就是说，用相等的东西，来赔偿每个统治者所受的损失。于是“合法”与“赔偿”就变成维也纳和平条约中的两大原则了。根据这些原则，自然只满足君主的要求，不顾及人民的愿望。

维也纳会议的成果

维也纳会议的成果可以分为四部：（一）依合法原则恢复统治者及政府的原位；（二）重分被征服的土地，协定补偿；（三）改造德意志；（四）决定各项经济上商业上的问题。兹分别说明如次：

（一）恢复旧政府问题——此种问题易于解决。路易十八入承法国王统，即为合法原则之第一次应用。当时更承认辟斯第七（Pius Ⅶ）复教皇位，菲地兰第七（Ferdiland Ⅶ）复西班牙王位，耶玛留（Victor Emmanuel）复沙地尼亚（Sardinia）王位。此外，瑞典君主，德意志出亡诸侯，汉洛埠（Hanover）王室，荷兰王室，葡萄牙王室，均各恢复原位。瑞士宣告为独立的永久中立国。因此，以前由法国革命及拿破仑所施行的王朝变更，从此都各还旧主了。

（二）土地分配问题——说到土地分配的问题，便非常困难。关于第一类的土地分配，即列强在战时所占得者，因为先已有条约协定，故问题较为简单，如俄国保有芬兰（Finland），倍沙拉比亚（Bessarabia）；奥国保有伦巴多威尼沙（Lombardo Venetia），替罗尔（Tyrol），萨兹堡（Salzburg），及理希颠斯太因（Liechtenstlein）；普鲁士保有莱茵河流域的大部分，萨克森的五分之二，波美拉尼亚（Pomerania）的一部分；英国则以殖民地与海军根据地为其胜利品——近德意志海岸的黑耳郭兰岛（Heligoland Island），地中海内的摩尔太岛与爱奥尼亚群岛（Malta and the Ionian Islands），印度洋中的锡兰岛（The Island of Ceylon）与非洲南部的好望角。关于第二类的土地分配，系就恢复了的国家，加以扩大，其目的在维持欧洲的均势，防御法国再起。例如荷兰领土之扩大，比利时诸省应归荷兰王统治；将挪威合并于瑞典；将吉诺亚（Genoa）并入沙地尼亚，瑞士于原有十九州之外，新添日内瓦（Genewa），洛奢逖耳（Neuchatel）与瓦芮（Valais）三州。至于第三类的土地分配则是波兰与萨克森问题，为此次会议争执的中心，结果：波兰分成四部分，一部分给普鲁士，一部分给奥国，其中大部分为俄所并，还有一小部分建立克拉科独立共和国（The Independent Republic of Cracow）。萨克森经达列黄大卖气力之后，仍由萨克森王复位，但国土毕竟分裂了，普鲁士取得其全土之半。

（三）德意志改造问题——当拿破仑战争中，德意志的土地区划，变动最大。原来国数达三百余之德意志，至一八〇三年，已经消灭二百余国。一八〇六年，神圣罗马帝国取消，拿破仑在德意志境内，建立许多的独立王国，以为德意志统一的障碍。后来《巴黎条约》，宣告德意志当组成一个联合体。关于德意志的组织，本有三个方式：（一）世袭的帝国；（二）强有力之集权的联邦政府；（三）缓弛的同盟。普鲁士及巴瓦利亚（Bavaria）

反对帝位复活，梅特涅又反对强有力的联邦政府，而由自己提出一草案，采用弛缓的同盟组织之原则；结果卒于一八一五年六月八日，议决采用梅特涅的方案，由全体国家签字，德意志同盟（联邦）遂告成立，此同盟包含三十八国。

（四）国际共同利益问题——维也纳会议议及国际共同利益问题，以二月八日之宣言，英，俄，西班牙，瑞典，葡萄牙，普鲁士，法兰西，奥大利八国，声明愿禁止奴隶贩卖。第一次《巴黎条约》关于国际河流航行自由之规定，现在扩充到与会诸国所管的一切西方河流。

维也纳会议的缺陷

维也纳会议上各外交家所解决的方案有一个根本的缺陷，即蔑视民族的意志，他们只把这一州那一国从这位专制君王手中，传到那位专制君王手中。比利时合并于荷兰，便引起比利时人的不平；挪威合并于瑞典，便引起挪威人的反抗；又如波兰，德意志，意大利各民族，都被宰割得支离破碎。这些被压迫民族处在维也纳会议所造成的锁链之下，简直透不过气来。这即是说，在维也纳会议这幕滑稽戏中已撒布许多次欧洲战争与革命的种子了。欧洲在十九世纪，民族解放运动高涨，当非偶然的事。

第二节　梅特涅与神圣同盟

欧洲均势之局及其重心

维也纳会议，重建欧洲均势之局；这个均势，由俄，普，英，奥，法五强维持之。此五强没有一国有支配全欧之力，或敢单独挑战的，以致均势几乎维持半世纪。在五强国中间，有一个中央部分，分成若干小国，即德意志诸邦，意大利诸邦，荷兰，瑞士等国。奥国支配那些分裂的德意志与意大利，无志于扩张，而利于维持这种分裂的状态。俄国合并从前隔断俄国与欧洲的邦土旧波兰国，惟余一克拉科（Cracow），立为共和国。瑞典失去芬兰及波美拉尼亚，退到斯干地那维亚（Scandinavia）一隅，土耳其帝国则被屏于欧洲公法之外了。

欧洲政治支配于俄，普，英，奥，法五强之手，既如上述，至于他们的外交方针，均由政府主持。但法政府注全力于内政；英保守党内阁以维持现状为满足，对于大陆事情常持消极态度；普王畏缩迟疑，不能取独立的行动；他们在当时的欧洲外交史上，均居于被动的地位。惟有俄奥两国政府，在外交上为主动的，而能以其政策加于他国。操纵欧洲政局的中心人物，是俄皇亚历山大第一与奥相梅特涅两人，而尤以梅氏实际上的势力为大。

神圣同盟的建立

维也纳会议虽已告终，然欲维持其结果与防止革命余烬之复燃，则诸国间之同盟，显然有继续存在之必要。俄皇亚历山大第一即有组织宗教同盟以维持和平的计划，这就叫做神圣同盟（The Holy Alliance），奥皇及普王均赞同此计划，遂于一八一五年九月间宣布成立。三国君主以同盟兄弟相待，为“统治一家三族之上帝代表”神圣同盟的宣言，包括一项序言与三项条文，其序言说：俄奥普三国君主鉴于过去多年的变乱，深觉有依基督教真理处理相互关系的必要。其条文是：（1）约定三国君主常相援助；（2）劝令人民实行救主的教义；（3）邀请各国赞同这项宣言。神圣同盟的性质原带宗教的意味，各国统治者不甚重视之。后来因为梅特涅了解神圣同盟是巩固现存制度之有力的工具，存心利用，其影响乃极大，所以有些人把神圣同盟的主义与梅特涅的政策，常常混作一谈。

摧残革命运动的神圣同盟

所谓神圣同盟，实际上是摧残一切革命运动的武器。自神圣同盟建立之后，梅特涅企图把欧洲各国镇静下去，使合于专制政治的情势。他结合俄普英奥四国充任国际警察，以便摧残一切革命运动。到一八一八年，就在爱斯拉沙伯（Aix-la-Chapelle）地方举行第一次国际会议。各国代表发出共同宣言，其目的，在反对扰乱维持和平，保障已经成立的一切协定。这次会议确是梅特涅的政策得到第一步成功，他自诩今后既可以壮各国爱好和平者之胆，复可以使一般喜新作乱之徒为之战栗。

爱斯拉沙伯会议之后，不到二年，反对专制政治的革命，在西班牙，葡萄牙，拿不勒斯（Naples），沙地尼亚与希腊等地，先后爆发。各国政府一见梅特涅的请帖，立刻派代表到特拉波（Troppau）去参加会议。当时曾签立草约，否认革命的合理，遇必要时，就用武力镇压，从前主张制定宪法的俄皇亚历山大也被梅特涅的守旧观念所克服了。所以俄皇对梅特涅说："你告我应该去做的事，我必一一照办。"这些国际警察干过一些什么呢？它们曾拒绝帮助那反对土耳其苏丹的希腊革命，曾允许奥国军队恢复意大利的秩序，曾派法国军队弹压西班牙革命。梅特涅说："欧洲的君主，都须用坚硬的阻碍物，放在这革命的狂流之前。"

神圣同盟的瓦解

可是，无论神圣同盟如何残酷，无论梅特涅如何狠毒，终不能把当时的革命运动扑灭下去。并且另一方面，梅特涅所称的"阻碍物"也渐渐瓦解了。在一八二〇年特拉波会议之际，英国代表拒绝在草约上签字，以为同盟的目的，不过是保持现存的国界，并非拥护现存的专制政体。到一八二二年，英国又表示同盟不应该批准法国干涉西班牙革命。英国已变为革命的朋友了。以后，英国更进了一步，不独不去摧残革命，反而用各种方法，助长革命。当法国提议要求出兵帮助西班牙协同克服美洲殖民地革命时，英国即起来反对。反对的原因很简单，就是这些殖民地的革命政府比西班牙本国更欢迎英国的贸易。同时，美国也挺身向前，反对上项干涉，美总统门罗（Monroe）曾于一八二三年宣称同盟国所加于西半球的任何压力，当被视为“危及我们的和平与安全”，美国不愿干涉欧洲的事情，欧洲也不可过问美洲的事情，这就是有名的门罗主义（The Monroe Doctrine）。因此，英美二国都承认革命的殖民地为独立国。后来，英国又帮助希腊人反对土耳其苏丹，迫得土耳其无法，于一八二九年承认希腊为独立国。美洲殖民地与希腊的独立告成，梅特涅所筑的阻碍物便湮没于革命的狂流之中了。

第三节　法国复辟与七月革命

路易十八的政治设施

法国路易十八，虽逃亡在外二十余年与革命为敌，但当一八一四年复辟之时，法国人民并无反抗的举动。

因为法国自拿破仑穷兵黩武以来，民穷财尽，大家都想度太平日子，路易十八既然能够与欧洲各强国相安无事，人民也就拥护他。他当幼年时代，欢喜研究福禄特尔（Voltaire）等人的哲学，所以对于一切革命的建设，也并无推翻的意思。他在一八一四年六月所颁布的宪法，关于国权虽多保留，然对人民自由亦有保障。此宪法后来略加修正继续为法国宪法者三十五年，且为十九世纪上半期一般立宪国家宪法之模范。宪法中规定设一国会，采取两院制。上院贵族由国王任命之，下院代表由富民选举之。但提议法律之权，操于国王，下院只不过可以请愿立法而已。但维持革命时第一次的《人权宣言》的原则，宣布人民法律上一律平等，在法律中一律自由。因此，法国虽复辟，然其政治的建设，却比拿破仑时代为进步。

查理第十的专制主义

当路易十八时代，贵族企图恢复大革命前的旧秩序是丝毫未实现的。但他于一八二四年去世，其弟弟查理第十（Charles X）即位情形就更加恶劣了。查理第十受教士的指使，变更原来的政策。例如贵族之丧失财产者，每年发国币数千兆佛郎以赔偿之，这不明明是剥削劳苦民众以补偿贵族吗？此等政策既行，反对的当然很激烈，他一点也不顾及。且于一八三〇年七月实施专制主义，根据宪法上君主有为公安而立法的规定，便下令数通规定检查出版的条例，增加选举权上财产的限制，声明惟君主独有提议立法之权。因此宪政精神摧残殆尽，人民权利已毫无保障了。

七月革命与路易斐利布

下令之次日，即七月二十六日，巴黎的新闻记者提出抗议，宣言他们不能遵守王命，仍当继续自由出版，并谓国王既剥夺民权，则人民不应再忠于王室。至七月二十七日，巴黎城中的共和党人便起而组织武装势力，反抗王室。至七月二十九日，巴黎全城都入了共和党人的掌握。查理第十知事体已扩大，乃与国会商酌收回成命之法，然为时已晚，国会已不能开会了。一般资本家，已在计划欢迎奥尔良公爵（Duke of Orleans）的儿子路易斐利布（Louis Philippe）入承王位。斐利布极热心于共和，法王复辟以后，他又极力主张民主政治以欺骗国人；所以一般资本家都欢迎他。查理第十被逼退位之时，乃传位于其孙波尔多公爵（Bordeaux），称为亨利第五，并命路易斐利布为中将，负实行王命之责。此种处置，本可望人民的赞许；但路易斐利布别有野心，并无实行之意，反而一意结好于共和党人。因七月革命，共和党的功劳居多，而且有拥护老将辣斐德（Lafayette）组织临时政府的举动。那时候，革命党人设委员会于市政厅内，四周均有武装的革命民众保护着。路易斐利布知道要想做法国国王，便非和这般革命分子妥协不可。于是走进市政厅，以甘言蜜语说服辣斐德。辣斐德本来是一个蠢材，那得不笑眯眯的心悦诚服呢！果然，滑稽剧又开幕了！辣斐德和斐利布携手于窗外的平台上，辣斐德手抱斐利布以示亲密之意，而斐利布也手摇三色之旗以表其同情革命之忱，四周民众便欢声雷动。斐利布固善于投机，而当时的革命者，亦未免太幼稚了。

七月革命的影响

一八三〇年的法国七月革命，虽只支持三天，又发生了另一帝制（七月帝制），但在三天之内，却把全欧震动了。比利时在一八一四年维也纳会议上，强并于荷兰，然受七月革命潮流的激荡，也爆发了暴动，脱离荷兰而独立。同时，革命运动在波兰的华沙（Warsaw）也爆发了，一部分在俄皇统治下的区域得到选举权，以后整个脱离俄皇的统治而建立波兰帝国。然而七月革命的影响并不止此。最重要的是给神圣同盟以大的打击。神圣同盟对于一八一四年以来的革命及一八三〇年前的骚动是不难镇压的，可是对于七月革命就无法应付，全欧洲的帝国迫不得已而承认法国路易斐利布为“巷战皇帝”了。

七月帝制

路易斐利布于八月三日召集下议院，宣布查理第十退位，惟不明言其继位之人。四天之后，下议院议决斐利布入承大统，上议院立即承认。斐利布允许即位时，曾说：“吾实无法拒绝国家之召我。”真是滑稽剧中的笑白呢！因为路易斐利布即位正在七月革命之后，所以这一阶段在历史上称为“七月帝制”。当时全国的立法事件都由两议院处理，第一院是由贵族组织的，经法皇直接委任。第二院是由法国国民代表组织的，可是享受国会选举权者限于年纳二百佛郎直接税之人，所以在全法国三千余万人民中，取得选举权者只有二十余万人。这些人都是大私有财产者，大富豪，大工业家。因此，法国国王，国务大臣，以及两议院，并不是全体资本家统治的武器（中小资产阶级与劳动者更说不上），而只是资本家中的一部分——大资本家的炮台而已。嗣后所宣布的法律都是代表大资本家利益的。巴黎商会（大资本家的组织）在对外对内政策上有左右一切的作用，它随时可以变更内政外交。当时建筑铁路颇盛行，政府强收赋税充实国库以作建筑金，但一部分企业家却因此获利。大资本家的利益始终与大多数人民的利益冲突。不仅在建筑铁路上如此，即其他事件亦是如此。路易斐利布既变成一部分人的工具，自然把整个社会弄得骚扰不宁，一八三二年，一八三四年，一八三九年在巴黎，里昂等处继续不断的发生暴动，决不是偶然的。到一八四八年，饿荒失业到处皆是，革命之神又向巴黎光顾了。

第四节　英国的选举改良与宪章运动

资本家与贵族地主的矛盾

十九世纪初叶，英国政权掌握在大地主手中。他们把持国会——上议院及下议院——，这少数人就以自己的私见及利益去管理全国。资本家在国会内几乎没有代表，他们也没得选举权。工业革命后，许多工业中心地发展起来，居民数目达到十万或数十万，但没有选派代表到国会中去。伦敦城于一八二一年有一三七九〇〇〇居民，国会中仅有四个代表。然而在几个旧的农业区，其代表却非常之多。农业区的居民多受地主的经济协助，同时又怕这些地主，只好选举贵族地主做国会代表。三十个老区域（所谓腐朽市镇［Rotten Borough］），总共居民不过三百七十五人，竟有六十个代表，这就是说，每六个人选举代表一人（这些市镇，自古即有选举两个代表的权利，不问人口多少）。资本家对此忿恨已极，他们也想把大权揽在手上，要向国会占取势力，以便发展自己的利益。他们需要国会改良，需要选举权扩大，但是那些享有特权的贵族，对于改良二字，听也不愿听，所有扩充选举权的计划，一概被拒绝了。

选举改良运动的扩大

于是资本家就在全国宣传实行改良选举。他们想抓住广大群众，利用群众力量，以达到选举改良，果然就得了小资产阶级群众的代表，如激进的民主派，为之奔走鼓吹；而工人群众也加入这个运动。工人也希望政治改良的结果，或可以采用一些新的经济设施，以改善自己的生活。资本家固然只希望局部的改良，只希望有产者才有选举权，不过在当日却不得不尽量利用群众运动。运动的中心，在工业区域曼彻斯特（Mancherter）城。一八一九年夏季，在该地召集八万人的国民大会，警察与骑兵突入会场，大施杀戮，死伤六百余。这一次虐杀，激起全国人民的忿怒，群起反抗，甚至资本家方面也有表示。政府恐惧之余，重新颁布多种法律，禁止人民言论，出版，及集会的自由。运动暂时平息下去，随后又带着加倍的力量再事爆发起来。

一八三二年的选举改良

自一八二九年，经济恐慌时起，民众运动渐次抬头，而且带着严重的性质，不但吓倒政府，连资本家也十分畏忌。群众常常骚动，焚烧房屋，与军队冲突。流血的罢工遍于各地，革命仿佛是开始了。一八三一年，进步党入组内阁，向国会提出关于改良选举的法律草案。同时资本家组织“全国政治同盟”并在各地设立分会，作了很大的宣传，以期要胁国会通过这草案。资本家不惜金钞，派人四处鼓吹，小资产阶级及工人群众也起来响应。资本家一面蒙蔽群众，说同盟目的，是要得到实际有力的代表中等人民与工人的下议院，一面利用群众以威迫统治上下两院的地主贵族，每当草案一被否决（这个草案共被否决三次），政治同盟便于伦敦及各省中召集群众大会，以人民革命恫吓国会。结果，国会就通过该草案，一八三二年的选举，总算给了些温和的改良，根据这个法案，在乡村中有不动产而每年收入值十镑以上者，及每年收入值五十镑的佃户皆有选举国会代表的权利；城市人民凡有或租有房产年值十镑以上者，皆有选举权。新法案将选举人的数目增加二十五万，这正是大工业资本家所企求的。大资本家得着选举权，而拥护他们的民众却依然故我。

选举改良与工人生活

资本家在实际上怎样酬报工人呢？新国会首先把以前及对工人的不公正法律宣布为神圣不可侵犯；又毫不客气的否认一切改善工人生活的提议，例如规定工作时间，及限制和禁止女工童工工作等等。这还不足，一八三四年，国会通过著名的《贫民律》，将以前对于贫民的补助一概取消，在教堂前面建筑一间工作所（从前贫民多聚集于教堂前面），收集那些需要补助而有劳动能力的贫民，于工作条件非常艰苦之下，强迫他们工作。工作所中简直是一种监狱制度，贫民穿着拘留所一样的衣服，没有权力可以移居，非经严格监视不得与任何人见面，一经进去，则夫妇分居，母子离散，只有整天做着苦工，甚至有时要做完全无用的工作，其处罚又惨酷，所有工人，都叫这工作所做巴士提尔大监。（其实资产阶级做这件事只有一个目的，就是把补助贫民费用那笔税收省掉了。）

但是这种待遇，工人再不能忍受了。工人群众中革命情绪日见高涨，选举改良既给资本家以政权，也表示给许多工人看明白在资本家与劳动者中间有一条不能通行的界线。这次运动结果，使工人被吸收到政治运动中去，他们可以知道要根本的改善自己的经济地位，必须取得政权。于是在工人面前，又发生争得普选权的问题，但此次却完全用着自己的力量。一八三六年引起新的工潮高涨的工业恐慌，又激动工人重新去作政治争斗，这就是所谓宪章运动。

第一次的请愿书

一八三六年六月，在伦敦建立一个工人组织，叫做“伦敦工人协会”，其目的在组织劳动者要求做政治的及经济的解放。加入这协会的纯粹是劳动者，而其主要分子却是一些比较熟练的及工资较高的工人。协会只做工人教育，组织俱乐部，图书馆，及宣传普选权等工作，所以不能将广大工人群众，联合起来。又因为协会所在的伦敦不是工业中心，故协会也不能成为工人运动的中心。一八三七年之初，协会决定开始为普选运动，并致请愿书于国会，其根本要求凡六条：（一）凡成年男子皆有普通选举权；（二）废除以财产为根据之选举制，使每个选举者都可以被选入国会（从前被选入国会者，须有三百镑之收入）；（三）国会以一年为期；（四）国会议员须有岁费，使劳动者也可以当代表；（五）秘密投票，以杜绝资本家的收买与恐吓；（六）选举区域平均分配，使农业区或工业区皆得按照居民多少以选举代表。这个请愿书提交国会作为法律草案，所以决定与国会内小资产阶级德谟克拉西的代表联络，他们也答应了，准备提出以便制定法律。当时一般人把这个请愿书叫做《宪章》(*Charter*)，整个的运动叫做宪章运动，而参加运动的人就叫做宪章派（Chartists）。

宪章运动中的派别

宪章运动，特别是在第一期中，分子异常复杂。一部分是熟练的工资很高的伦敦工人（艺术家，画师，木匠，雕刻家，印刷工人），这些都是伦敦协会中的工人贵族。另一部分是北明翰（Birmingham）的小资产阶级，代表北明翰的政治同盟。此外大部分则为北方产业工人，以兰开夏，及约克两区的工人为主体，他们是刚从破产的贫农中走出来的，是不熟练而且属于下层的工人。同时也有许多失业工人参加这次运动。有了这许多不同的分子，自不能有一致的意见，争执也是难免。他们固然在宪章运动及改良国会的政治要求之下统一起来，可是一讨论到如何使宪章实现与争斗方法各种问题，马上就发生激烈的争论。至于说到运动最终目的，及政治改良宪章通过之后，应采取何种设施，则冲突格外多了。宪章运动大别可分为二派，一派是小资产阶级，一派是工人。

请愿书被否决与政府的压迫

一八三九年六月十四日，以请愿书递交国会，署名者达一百二十八万人。但是这个请愿书终被由地主与资本家所组成的下议院否决，赞成者只有四十六票，反对者却有二百三十五票。八月十二日，各工业城市决议，罢工两天，开会，游行，以表示反对。政府就乘机以一次重大打击，断送了运动的性命，于是对宪章派加紧压迫。在八九月间，逮捕三十个地方的运动领袖；以后陆续实行拘禁，被捕者凡四百四十二人，有许多是纺织工人，五金工人，及一些矿工。审判诉讼连续不断，有坐牢的，有终身放逐的，也有判处死刑的。大部分宪章派的领袖都经过法庭审问，许多宪章派的报馆都被封闭；有些宪章派分子，为避祸起见，逃亡于异国。这样，宪章派运动似乎完全压倒了，政府与统治阶级就庆祝自己的胜利。

宪章运动再起与第二次请愿书被否决

无论何种压迫，终不能把运动消灭，一八四〇年，宪章运动又从新起来，特别是在第一批宪章派罪犯出狱的时候，一八四〇年，曼彻斯特开宪章运动代表大会，讨论工作组织的计划，决定并吞一切地方的小组及会社，创立“全国宪章运动协会”（Charter Associations）。这个协会，可算做真正工人的政党，有统一的中央委员会及地方委员会，也有经常的大会，会员要缴纳会费，领取会证，一洗从前散漫现象。协会开始作当时的政治争斗，一八四一年终及一八四二年之初，为运动发展最高的时候，此时协会已有四万会员，及四百个分部，统治阶级不能不以宪章运动为一种很大的势力了。

一八四二年五月，又以第二次请愿书递送于国会，署名者共三三一五七五二人。这一次曾经开代表会议详细讨论递交及拥护请愿书的问题，比前彻底而且坚决得多了。第二次请愿书，除政治的要求外，还特别说到工人经济状况，说到失业，工资低微，《贫民律》，及间接税所给予工人的负担等事，要求颁布改善工人经济生活的法律，要求立刻实现改良，要求取消不公正的条例，否则革命一定成为必然的了。然而请愿书递到国会之后，经过很短的讨论，又被大多数否决，于是工人明白道德行动是没有希望的了。

宪章运动的衰落与复兴

一八四二年，是工人运动与宪章运动最发展的一年，其发展是自然而然的，并且带着暴乱的性质。自一八四一年以来，因为经济恐慌，工人生活更加恶劣，失业与需要天天的增加，据当时失业的工人调查员的报告，工人穷困程度，十分可怕。因失业关系，各处的工资都低落下去，纺纱工场工资低落百分之二十五，毛织工厂低落百分之四十五以上。因此就引起罢工及骚动，无数失业工人，成群结队的在街上乱跑，骚扰那些富人。但是罢工没有继续蔓延下去，只限于北方区域，伦敦及南方各地并不起来响应。因此罢工经过几个星期，受政府及厂主压迫，缺乏一切物品，又得不到帮助，结果只好暂时屈服了。一八四三年至一八四六年间，英国的工业开始复兴，罢工运动渐次低落，群众生活也稍为改善，对于宪章运动也日觉冷淡了。工人在宪章运动中的政治争斗已经失望，现在就把自己希望移向和平的经济争斗方面。此时所发展的职工运动，是不赞同宪章运动而主张与资本主义表示妥协的，在一八四四年，便开始很顺利的合作社运动，吸引了不少的从前宪章派的分子，群众遂纷纷与宪章运动脱离。

一八四七年，因为新的工业恐慌关系，宪章运动又呈勃兴之象。是年夏季，宪章派积极的参加国会的新选举，许多地方都提出他们的候选人。结果，鄂康诺（I-connor）在诺定昂（Nottingham）被选为出席国会的代表，这就是宪章派被选到国会的第一个代表。一八四八年初，恐慌更为紧迫，各处发生失业工人骚动，加以欧洲各国的革命爆发，使群众的情绪更激昂起来。宪章派予工人以热烈的同情，来接受各国革命消息，各地开会游行，表示欢迎欧洲革命，决定利用时机，于四月四日，由宪章运动协会召集会议，讨论第三次的请愿书，并领导民众运动。那时曾经决议：请愿书若被拒绝，协会当号召全国人民在同一时间内召集大会，选举国民会议的代表；国民会议未开幕以前，协会继续在伦敦开会，必须俟《宪章》成为国家法律的时候，国民会议才停止其职务。

第三次请愿书失败与宪章运动终结

四月十日，向国会递送第三次请愿书，同日在伦敦郊外召集大会及游行。这次游行固然带着和平性质，但政府震于欧洲的革命和国内的骚动，就严加防范，城市内外，满布军队，如临大敌。可是那天赴会的群众，不下四五万人，很和平的把请愿书装成三车，随着鄂康诺及主席团汇送至国会，群众便即散去。请愿书的内容，大概和第二次的相同，据鄂康诺在国会中报告，署名者竟超过五百七十万以上，其重量达于七百二十磅。请愿书交付国会特别委员会审查，直到一八四九年才开始讨论，结果赞成者仅十七票，反对者二百二十二票。宪章派最后一次企图国会收受请愿书，就这样宣告破产了。

宪章运动受了这回打击，显然是一蹶不振，协会尚继续开会至四月二十四日。七月一日，国民会议正式开幕，没有决定什么，便宣告解散。政府趁势大下其通缉令，由五月直到年底，全国都陷于白色恐怖的统治中。自一八四九年起，宪章运动已成强弩之末，领袖们的意见也不能一致，常常互相争执，毁谤，运动衰落，使内部冲突更加厉害。那时除了全国宪章运动协会之外，又发生了许多新组织，人少而力薄，结果把运动的余力打成粉碎。一八五二年，宪章运动在曼彻斯特开最后一次大会。从代表报告各地组织情形当中，就看出从前一支大军，此时但留下一些残卒了，这一个中央委员会，已经变作没有兵士的将领，至一八五四年便宣布解散。伟大的宪章运动，也从此告终。

第五节　德意志的统一运动

统一运动发生的原因

德国在维也纳会议以后，全国形成三十八个割据的国家（邦），虽然有几个国家实行了立宪，但在大德意志帝国所管辖的大部分国家内却是专制主义盛行。这种割据形势与专制统治即是德国统一运动发生的原因。不错，维也纳会议曾建立所谓德意志同盟（联邦）；不过，这个同盟的中央组织，称为总会（Congress），设于佛兰克福（Frankfurt）城。为会员者，皆代表君主而不代表人民。总会的权力极小，既无干涉各邦内政之权，而会员又不能任意议决什么案件，遇事均须请命于其君主。同盟中各邦均有和他国订结各种条约之自由权力，不过不得妨害同盟之安全，并不得与同盟诸邦宣战。同盟的宪法不得各邦君主的同意不能修正。此种组织，缺点显然，尤其无以满足德国新兴工商业家的愿望，因此，引起大学生与民众的抗议，集会演说，无处不表现骚动的气象。

广泛的学生运动

当时最有势力的团体为学生同盟（Burschenschaft），这是广泛的学生运动之组织，从一八一七年到一八一九年推动了全国各大学校，曾爆发过几次政治示威，他们反抗神圣同盟，要求建设“伟大统一的自由的德意志”，在实际上是国民运动的中心。这种运动震撼了全国各地，欧洲大陆上极反动的首领——梅特涅施用一切权威来扑灭之，检查，惩罚，横行一时，从学生到大学教授受尽残酷的压迫。运动虽是普遍的扩大，可惜学生组织未能统一，终被梅特涅的铁腕镇压下去。

关税同盟

然而，德国之要求统一，自然不是一般智识分子主观的要求，而实有其牢不可破的经济基础。当十九世纪初期，在拿破仑大陆封锁政策之下，拒绝与英国通商，即为德国造成了发展工业的机会，钢铁业，织布业……不仅夺取了英国在大陆上一部分的市场，而且输入到澳洲与南美。这些工商业家不仅要求立宪，而且最急迫的希望，首先在消灭阻碍经济发展的割据之局。一八一八年巴瓦利亚即有编订宪法建设国会之举；二年之后，巴敦（Boden），吴腾堡（Wurttemberg），汉塞（Hesse）诸邦亦闻风响应。一八三四年，又有关税同盟（Zollverein）的组织，其直接目的原在排除交通上贸易上各种障碍，废止国内税及税关，设置共同的吏员及共同的税则。但其间接的效果则超出经济范围以外，申言之，即在关税同盟的进程中，奠定了政治统一的基础。关税同盟以普鲁士为盟主，即是他日普鲁士统一德意志的先声。

一八四七年的普鲁士宪法

与德国统一运动同时并起的，还有所谓立宪运动。当一八四〇年普皇弗列得立威廉第三（Fredrick Willian Ⅲ）驾崩的时候，其子弗列得立威廉第四继之，新皇减轻普鲁士的压制政策，许多因政治关系被放逐之人得以回国；新闻出版法改宽；政论不受压迫；人民渐感到自由生活。但威廉第四关于过去政治的传染甚深，他虽愿意限制自己的专制权力，却把政治上的让步视为自己的好意，而不认为是人民的权利。从一八四四年到一八四七年长时期的研究，曾制成一八四七年二月三日的《钦赐宪法》（*Potent*），允许设立一个“联合议会”（United Diet）。议会分为两院或两组（Curia）：一组以国王任令的贵族与地主组成，另一组以各省议会议员组成。其权力仅限于可决新租税及提出请愿书，只能讨论由国王付议的事件。联合议会第一次在柏林开会时（一八四七年四月十一日），国王宣言绝对维持固有的王权，命议员助其抵抗革命思想。威廉第四与联合议会的冲突，随即开始，以致无结果而散会。以此更引起全国的不满，发展到骚动。在次年（一八四八年）二三月之交，全德意志境内就模仿法国二月革命，步巴黎暴动的后尘，革命之旗首先在普鲁士竖起来了。

第六节　意大利的统一运动

烧炭党的革命

一八一五年以后的意大利政治状态，有三个特征：（1）分裂，（2）专制，（3）依附奥国。当时意大利的爱国者与自由派，深感内外压迫之苦，乃转而从事于秘密行动。最有名的秘密结社为烧炭党（Carbonari），约在一八〇七年创立于拿不勒斯王国的山中，党员多为加拉普利亚（Calabria）之烧炭人，故名烧炭党。原来组织的目的在驱逐法国人，到维也纳会议后，则改为驱逐奥国人，完成意大利的统一及立宪。

在一八二〇年，党员达五十万人；是年七月，曾在罗拉（Nola）地方举事，要求拿不勒斯国王颁布宪法，国王斐迪南第四（Ferdinand Ⅳ）在革命的威胁中已经照办，不幸这次革命后来为奥国军队所削平。

青年意大利党与玛志尼

在一八二一到一八三一年的期间，烧炭党已失去优势，渐由青年意大利党（Young Italy）起而代之，其创立者为玛志尼（Mazzini），第一个信条是：自由的意大利必为共和政治，主张将意大利组成一个单一国家，而奥国必首先被排出。青年意大利党员多为中等阶级的青年与学生，用出版宣传的方法，向全意大利传播，不到一年，成为意大利半岛上最重要的团体。但该党的势力与其说是政治的毋宁说是道德的，其成分限于智识分子，差不多是一个教育的团体。玛志尼的主义可以鼓励意大利的青年而坚其信仰，给以行动的指针；然一到实际执行其党的计划时，则全部组织的缺点立刻暴露。从一八四一年到一八四四年数次谋煽动拿不勒斯及教皇领地人民举事，而因政府严加戒备，卒无结果。一八四四年以后，党中实行派不再成为政治的要素了。

辟得蒙派的新计划

一八四〇年到一八五〇年之间，意大利有一群著作家奋起，其主要目的，在影响国民舆论，而以文学为达到政治改革的途径，此派称为辟得蒙派（Piedmontese School）。关于意大利解放后应取何种组织，则意见不一；但认定意大利不适于共和，却大抵相同。他们以为玛志尼的计划不能实行，乃另立一种新计划，不仅要合于意大利人的愿望，不仅要代表国家的统一及脱离外国支配的思想，同时且须适应意大利生活的性质与状态。其中分为两派：一派为裘倍（Giobert）所领导，主张将意大利组成联邦，置于教皇主宰之下；另一派为阿最略（Azeglio）所领导，他们的计划不是基于教皇的主宰，深信意大利的独立，只有在比较自由的国家，尤其是在辟得蒙国内，实行缓进的改革，使其走上宪政的道路。这些计划，都缺乏现实性，不但赶不上烧炭党，而且又不如青年意大利党，这也许是意大利解放运动的客观条件未成熟之反映吧!

练习问题

（一）维也纳会议给予欧洲前途的影响怎样?

（二）神圣同盟的本质及其瓦解的原因怎样?

（三）试述法国七月革命的意义。

（四）英国的资本主义比法国要进步些，何以始终只走上改良的道路未走上革命的道路?

（五）德意统一运动，在十九世纪前半期不能成功，何故?

参考资料

（一）《近代欧洲政治史》第一第二两章（商务印书馆）

（二）《欧洲近百年革命运动史》第一章（亚东图书馆）

（三）《近代世界史》第十五章（世界书局）

（四）Hayes：*A political and Social History of Modern Europe*, Vol. Ⅱ, Chapter ⅩⅦ

第六章　欧洲各国一八四八年的革命

第一节　一八四八年革命的前夜

革命的种子及其导火线

一八四八年的欧洲革命，首先发动于法兰西，继起于德、奥、匈、波（波希米亚——Bohemia）诸国。在那时候，发源于英国的产业革命，已经逐渐传播于法兰西及德奥诸国了；而尤以法兰西为大陆诸国之冠。基于产业革命的原因，法兰西的资本主义的生产制度逐渐发展，大都市的工厂林立，劳动者的数目也天天的增多；同时，一般产业资本家，对于劳动者的榨取和压迫也特别彰明较著。这是法兰西一八四八年革命的种子，也就是欧洲一八四八年革命的导火线。我们现在将一八四八年法兰西革命的几个原因说明，在国际的连锁关系上说，也就是欧洲一八四八年革命前夜的状况。

劳动者的反抗

法皇路易斐利布的政策，专门在保护金融资本家的权利。所以这一部分资本家在政治上社会上很是跋扈。至于劳动者的状况，简直比“七月革命”以前还要悲惨。因为当时的雇主倚仗政府的保护，握住支配劳动者的实权，把他们当作奴隶使用，既不许他们组织工会，又不为他们改良工作场；既要延长工作时间到每日十八小时，又要减少工钱到最低的限度；因此，劳动者无论如何作苦工，都不能得到充分的生活费。他们迫于饥寒，不禁同声喊出这个口号：“与其劳动而生，不如抗战而死！”便时时起来暴动或罢工。可是政府并不斥责资本家，反助桀为虐的横加压迫，劳动者为本身的利益起见，便不能不反抗这为资本家作工具的政府了。这种政治上反抗精神，便表现在一八四八年的革命史上。

社会主义者的鼓吹

当时法国政治和社会状况既如上述，必然的要产生一种社会主义思想。一般社会主义者，也必然的会替劳动者攻击那万恶的社会，连带攻击那工具式的政府，其中最有名的如普鲁东（Proudhon）和路易布朗（Louis Blanc）等。他们对于一八四八年的革命，确实给了很大的帮助。还有一位女文豪名乔治桑（Goerge Sand），她专门著社会小说来讥刺当时社会的残酷，这也是很有影响于社会运动的一个煽动力呵。劳动者受了这些社会主义者的鼓动，不期然而然的更加兴奋起来，机会一来便要参加革命。

言论界的不平

政治上社会上既有了腐败的制度，民间的示威运动当然免不掉的，秘密结社也是必然的事情，尤以人权社的主张为激烈，他们主张打倒现政府，另建共和政府。路易斐利布只知采用高压手段，严禁人民结社，不许出版自由，封闭共和主义的杂志社，禁锢或驱逐他们的编辑员。到一八三五年，又颁布《九月法律》（*Law of September*），禁止人民诽谤王室和批评财产制度，并令每家报馆纳保证金二〇〇〇〇佛郎于政府，以限制其言论自由。因为这种原因，言论界对于政府已经恨入骨髓，跃跃欲动了。

一般国民的愤怒

当时政府在外交方面，废费巨款，结局终归失败，已失了国民的信仰。到了埃及太守阿利（Mehemet Ali）举兵反抗土耳其的时候，法皇又用许多金钱和兵力去援助他，后来英、俄、普、奥四国组织联军，占据叙利亚，并封锁亚历山大港，迫阿利结城下之盟以侮辱法国，法国在国际上的地位，因而一落千丈。法国人民大愤，要求法皇对四国宣战以雪大耻；而法皇恐危及自己的地位，遂拒绝国民的请愿，国民便从此迁怒于法皇了。同时，法皇对内却非常勇敢，在选举议员的时候，竟公布一种腐败的选举法，使各地预先组织选举团，然后由该团选出议员，并且用金钱收买议员，使其顺承政府的意旨。法皇意欲将国会置于一己权力之下，故不惜采用这些卑鄙的手段。一般的资本家本是要政权的，现今政府既如此防范他们，他们那有不反抗之理！所以第一步便团结起来要求普选，直接由人民选出责任内阁，无奈都被政府拒绝了；因此第二步便不能不反抗政府了。

以上四种原因，就是法兰西一八四八年革命的种子，也就是欧洲各国一八四八年革命的导火线。

第二节　一八四八年法国革命

从革新宴会到二月革命

法皇贿选议员一事，国民异常愤恨，共和社会两党，便和国民联合起来，表示反对，作种种的示威运动。他们屡次组织“革新宴会”（Reform Banquet）来指摘政府并主张普选。同时，共和党又在国会提出选举法改革案，却被首相基佐（Guizot）运动国会否决了，舆论因此大哗。到了一八四八年二月，国民又订期在巴黎开“革新宴会”，政府却先期下令禁止，可是国民到期仍开会议，攻击政府干涉之非法，尤其是学生与劳动者更为激烈，主张推翻君主立宪政治。因之，政府便派兵去弹压，不料军队却和民众联合起来，在各处游行示威，并高呼“革命万岁！打倒基佐内阁！”等等口号。这时，政府又派宪兵和警察去解散，民众更为激昂，遂在各街市筑棚自卫，和政府军抗战。经过三日的冲突，法皇恐酿成大革命，乃承认罢免基佐内阁；可是共和党和劳动者并不以此为满足，遂于同月二十三日之夜，围攻基佐所居的外交部公署，与署中卫队大起冲突，民众死伤五十二人，于是载尸游行街市，大呼“政府惨杀人民！”以激动全巴黎市的人民。果然，二十四日晨，全巴黎的人民，尤其是劳动者，都武装起来了，和政府军作最激烈的市街战。结果，民众大占胜利。法王见大势已去，乃让位于其孙巴黎伯爵路易斐利布二世，自己携带眷属逃入英国。民众乘势攻入议院，高唱“共和国万岁”！一面拒绝新王，一面组织临时政府，其成分如下：阿拉各（Arago），莫洛（Morro），拉马丁（Lamartine）属于资产阶级温和派的代表；勒德律洛林（Ledru-Rollin），佛罗康（Flocon），属于小资产阶级民主派的代表；路易布朗，亚尔培（Albert）则为劳动者的代表，可见临时政府是废除“七月帝制”后各阶级之一种妥协，然相互间的矛盾是异常尖锐的。温和分子占多数的临时政府在劳动者威胁之下，不得不于同月二十七日，正式宣布“第二次共和政治”。这便是历史家所称的“二月革命”

(Revolution of February)。

临时政府的设施

二月革命的成功，算是共和主义和社会主义胜利；所以临时政府的施政方针，非常注重社会主义者的意见，容纳劳动者的要求，于同年三月，设立“劳动委员会”，由各种工业劳动者的代表五百人组成，以路易布朗为该会议长，负责维持工人的利益。同时，又用路易布朗的政策，创设国立工厂（ National Workshops ），收买全国的工场，作为劳动者的组合。国立工厂所生产的收入分为四份：一份作为买收工场的费用；一份作为衰老残疾的劳动者的救济费；一份作为工钱，分配给劳动者；一份存作准备金，以补各项的不足。于是首先依照劳动者的技能，将他们分为高等和普通两种，使高等劳动者从事于金工木工等制造，普通劳动者从事于铁道、运河、建筑等工厂以外的劳动。至于工钱的多寡，并不依劳动的种类和时间的长短而定，只要从事劳动，每人每天都给两佛郎，因事休息的人则每日给一佛郎。这样一来，劳动者都愿到国立工厂去做工。可是政府的共和主义者，并无十分的诚意，实行社会主义的政策，甚至嗾使乡村小资产阶级反对工人，说工人依靠政府生活，吃饭不做事；因此，国立工厂的计划，在很短促的期间内，卒至完全失败了。

国民会议与“六月天”

一八四八年五月四日，临时政府解散，国民议会起而代之，以编订共和国宪法为目的。议员里面多半是右派的共和党人，极力排斥社会主义，并拒绝路易布朗所主张的劳动内阁。不久，议会又议决废止国立工厂，令劳动者转入行伍或离开巴黎市，这都是代表资本家压迫劳动者的表现，巴黎的劳动者非常愤激，宣言要解散议会，遂集合四万多人，在巴黎市内筑棚反抗，从六月二十三日到二十六日之间，各处多起暴动，他们的口号是“面包或枪弹”。共和党人都主张采用高压手段，给将军加汾雅克（Cavaignac）以处理乱事的全权。结果，政府军大胜，巴黎市劳动者被杀一万余人，被放逐和监禁者约四千人，报馆之被封闭者约三十余家。这个惨烈的屠杀，历史家称之为“六月天”（Junedays）；这个可怕的

“六月天”，很显明的表示了法兰西资本家对付劳动者的胜利。可是，从此以后，法兰西劳动者不甘为资本家所利用了，于是共和政治，终究失掉了一大批拥护的“国民”！六月暴动的意义，证明在欧洲资产阶级民主革命已经过去了。

编定宪法与选举总统

巴黎的暴动平定以后，国民议会便着手于宪法的编订，至十月始告成功。内中规定：（一）统治权属于人民全体，人民均有信仰和出版的自由；（二）国会为立法机关，采用一院制；（三）凡二十一岁以上的男子均有选举权；（四）大总统为行政长官，由人民公选，任期四年。宪法颁布之后，遂定期于十二月十日选举大总统，其时候选者有三人，一为共和派首领加汾雅克，一为民主派首领勒德律洛林，一为拿破仑的侄儿路易拿破仑（Louis Napoleon）。路易拿破仑是一位善于投机的野心家，他一方面说当选之后愿尽力为工人谋利益，以笼络劳动者；另一方面又用维持秩序保护私有财产的言论，以示好于资本家。因此，选举的结果，他竟得五百四十万票的大多数，当选为大总统。自路易拿破仑当选为大总统以后，第二次法兰西共和国的外形，便完全告成；同时也就预伏了第二次法兰西帝国的基石。

路易拿破仑与第二次法兰西帝国

一八四九年五月，国民议会解散，同时召集立法会议。结果，王党占绝对多数，共和党和社会党不过占二百五十席而已。此后，大总统便和会议连成一气，禁止民主主义的宣传，并借种种口实，逮捕其编辑人员。次年，政府又和会议商议，改订选举法，以剥夺劳动者和革命党人的选举权；但其目的各有不同，即政府方面当然拥护路易拿破仑当皇帝，会议则暗中进行恢复波哈锛王朝或奥尔良王朝，因此时起冲突。到一八五一年十二月二日早上，路易拿破仑派兵解散会议，将平日拂意的议员或监禁或放逐之后，令国民公决此次“政变”（Coup d’Etat）的当否，结果，以七七四〇〇〇〇对六四六〇〇〇的大多数，可决“政变”的适当。路易拿破仑固然会迎合人民的心理（即请他们公决）而获得胜利，然而这一般盲目的选民也就未免太可怜可笑了！自此以后，路易拿破仑独握大权，铲除异己，次年冬间，又令元老院上表劝进，那一般奴颜婢膝的元老便立即议决尊号，称他为“法兰西皇帝拿破仑三世”。于是第二次法兰西共和国宣告死亡，而第二次法兰西帝国又出现于世界政治舞台之上了，这个第二次法兰西帝国，固然可说是王党势力复兴与路易拿破仑的投机主义所汇合而成；然而劳动者对于虚伪的共和主义的漠视，亦不能不视为原因之一呢。

第三节　一八四八年的奥国革命

梅特涅的专制

奥大利帝国之内，皇帝统治于上，有自由任免官吏之权。一切立法，征税及财政上的支出，均无需国民同意。新闻纸，书籍，戏院，教员等无不受严密之监视，以防止新思想之输入。没有政府护照者，不得出国旅行，所以西部欧洲的思想，无从输入奥大利。贵族之享有特权，教士之宏大势力，仍旧和以前一样。政府中的官吏，莫不尽力以压迫新党为能事。这一切的反动政治，原为首相梅特涅一贯的统治奥大利的方法，而且是梅特涅一贯的统治日耳曼各邦及匈牙利，意大利的方法。在这种高压的政治之下，被统治的奥大利人，除了一般贵族教士的特殊阶级外，莫不想推翻梅特涅的制度。革命的种子，早已播在奥大利的全土了。

维也纳三月十三日暴动

自法国二月革命以后，奥大利人便首先被革命的情绪激动着。一八四八年三月十三日，维也纳城中的学生成群结队示威，向地方议事厅而进，小资产阶级及劳动者附和之，于是联合一起，实行武装的反抗。“与梅特涅偕亡”的呼声，传入宫内。同时武装的民众在维也纳市街中建筑防御工事，准备与政府军作市街的血战。梅特涅知革命的势力，如火燎原，不能再用高压手段，乃辞职出走英国。梅特涅出走之后，奥大利皇帝乃遵从革命民众的要求，下令改组内阁，并着手编订宪法，给人民以参政权及出版，信仰，结社，集会种种的自由。于是维也纳民众的暴动始止，而奥大利一八四八年的革命，便这样在世界革命史上浮出了短短的一页。

革命的胜利及其失败

革命胜利之后，不久召集国民会议，宣布取消农奴制，以后又改奥国为君主立宪，允许出版事业绝对自由。从前在帝国时代被压迫的民族都为之惊醒了。伦巴底（Lombardy），威尼沙（Venetia），匈牙利各民族都暴动起来，宣布独立。软弱无能的奥大利皇帝及皇室家族只好瞠目而视，静待未来的时机了。果然，在一八四八年夏季，资本家与劳动者之间发生冲突，资本家投向反动营垒中去；反动派利用优势向革命势力反攻，以致引起维也纳十月六日第二次暴动，政府调集大军围攻，革命方面主要的防御力量，是学生与工人，统计不过二万五千，誓守革命的首都，支持数星期之久。至十一月一日，维也纳被陷，先后被屠杀者凡六千人。昙花一现的宪法也终于废止了。

第四节　一八四八年的德国革命

柏林三月十八日暴动

当奥大利受革命民众的威胁，改组梅特涅的内阁以后，便一时处于镇静自持的状态，无力再对日耳曼诸邦施以武力的统治。所以巴敦，吴腾堡，巴瓦利亚，萨克森诸国，同时均起暴动。巴黎二月革命消息及维也纳三月十三日革命的消息传来，柏林的民众，大为兴奋。三月十八日，市民群集于王宫之外，要求立宪，警察用武力驱逐，遂发生流血的冲突。市民立即在市街上高筑堡垒，为战守的准备。普王威廉第四大骇，深恐革命狂涛澎湃，摇动自己的王位，乃允许召集议会，编订宪法。至此，柏林暴动，才告平定。

佛兰克福议会制宪的失败

到了次年，自由主义者又推选五十一人，组织佛兰克福议会（Frankfurt Parliament），制定德意志帝国宪法，规定：（一）设中央政府统辖德意志联邦；（二）以德意志皇帝总理万机；（三）合德意志联邦为德意志帝国，设帝国议会，用立宪政治等条。后来又根据宪法，推定普鲁士王为德意志皇帝。普王威廉第四本主张新政者，因经过柏林暴动，遂一变其向来的主张。他既恨革命，又怀疑议会究竟有无决定尊号之权，加之他又怕奥大利的武力干涉，所以在一八四九年四月，公然拒绝佛兰克福议会的推举，不允称帝，且连宪法也否认。于是佛兰克福议会的事业，便毫无结果。而奥大利力主恢复旧日的同盟公会，德国乃再回复于四分五裂的状态中。

普鲁士颁布宪法

一八四八年的革命，对于全德意志虽无结果可言，独普鲁士一邦却有宣布宪法之举，这对于德国的将来很有关系。法国革命所引起的柏林暴动，及普王之允许立宪，我们已经说过。同年五月，宪法会议开于柏林，提议废止贵族及删除国王称号上的“天命”二字，同时柏林的工人受社会主义者的指挥，于六月十四日围攻兵工厂。普王大惧，退居波茨敦（Potsdam），令议会移往柏伦顿堡（Brandenburg），以免为柏林的革命势力所挟持，议会不允，遂被解散。一八四九年，普王另编宪法，再召集宪法会议以讨论之，结果即于一八五〇年一月颁布。这次宪法，竟在普国应用到六十年之久，至欧战告终时才被废止。

两位著名的革命家

革命中间，许多“共产主义者联盟”的会员纷纷回国，参加民主运动。马克思（Marx）与恩格斯（Engels）此时也回来，居于科伦（Cologne），加入民主运动的团体，站在民主党极左派旗帜之下，仍保留自己批评民主党的发言权。六月他们指导民主派《新莱茵报》的活动，想在争斗的过程中，组织工人团体。后来，他们看出民主派萎靡不振，很严厉加以批评，并指责佛兰克福宪法。这两位革命家在当时是活跃的积极的行动者。

第五节　一八四八年的意大利与匈牙利革命

意大利的革命

维也纳革命爆发，梅特涅被赶跑了，奥国压迫下的意大利马上可以吐一口冤气。米兰（Milan）遂于三月十九日发生暴动，伦巴底全部都骚扰起来，经过两星期的苦战，将奥国的军队驱逐出境。威尼沙也继米兰而起，赶走奥人，重建共和国。米兰人深知来日方长，不易对付，乃求援于沙地尼亚（Sadinia）王查理亚尔培（Charles

Albert)。在短促时间内，意大利半岛上大部分卷入暴动的怒潮中。拿不勒斯，罗马，多斯加（Tuscany），辟得蒙（Piedmont）诸国的君主也相继宣布立宪。沙地尼亚王为民众所迫，不得不为驱逐奥大利人的领袖，而树统一的始基。不幸沙地尼亚在反抗奥大利的战争中不大坚决，未认清全民族利益比王室及贵族利益更为重要。因此，意大利兵力不如奥国，屡战屡败；米兰与威尼沙相继为奥军击破。就中惟罗马支持较久，罗马人于一八四八年十一月驱逐教皇；次年二月五日，召集立宪会议，建设罗马共和国，未几，法国出兵助教皇，攻陷罗马，意大利革命从此完结。

匈牙利的革命

一八四八年的匈牙利也鼓起了革命的波涛。当时匈牙利居民一千二百五十万，一半是马札尔（Maggar）人，另一半是斯拉夫人与罗马尼亚人。在这个落后的农业国中，其政治完全倚赖奥国，奥国对匈牙利的政策就是力阻其经济发展。那些开始经营资本主义经济的贵族，渐不满意于现在政治状况，想从奥国统治之下解放出来。贵族中之先进者知道要想解放，非得到农民帮助不可，于是主张解放农民。噶苏士（Kossuth）即系提倡对农民实行改革的领袖。然以多数贵族反对，毫无结果，自维也纳革命消息传出后，匈牙利国会于一八四八年三月十四日，通过解放农民的法案。奥国也给匈牙利以许多让步。但到十月三日，奥国政府下令取消匈牙利国会，宣布其议案无效，从前的让步一律取消，匈牙利就因此走上暴动之路了。但匈牙利人行动不坚决，且坐视维也纳被困而不加援手。十二月焚狄士格累次（Windischgraetz）率兵入匈牙利（即攻陷维也纳的军队），一八四九年一月占领布达佩斯（Budapest），匈牙利革命因此失败。然不久噶苏士又收拾残卒，击退奥军，于四月十九日宣布独立，以噶苏士为共和国元首。可是贵族对于农民运动有些畏怯，同时又不能与欧洲民主派以及意大利革命势力联合，以致力量大减。最后，俄皇尼古拉（Nicholas）第一出兵二十万助奥，匈牙利不能支持。八月中休战，噶苏士逃亡外国，民众大受屈杀，匈牙利贵族所建立的共和国也倾覆了。

第六节　革命失败后的反动

反动的第一炮

在一八四八年欧洲各国革命失败之后，在历史上称为反动时期，反动同革命一样，在大陆上从这一国窜到那一国，反动的第一炮，自然是在爆发革命的巴黎出现。当加汾雅克将军镇压了“六月天”的事变以后，整个欧洲反动营垒中，激发出了无限的乐观，他们都赞仰加汾雅克将军的手腕。假使巴黎的革命之火种熄了，其他各国的革命烈焰自亦因之降低。从前仇视法国的俄皇尼古拉第一，这时也幸灾乐祸的来庆祝共和国的加汾雅克将军之胜利与光荣，他忘掉以前对法国的憎恶与嫉忌了。

奥国的铁骑

与镇压巴黎暴动同时并进的，便是奥国军队将沙地尼亚的军队从宣布脱离奥国统治而独立的伦巴底境内驱逐出去；同时，奥国军队大肆屠杀，消灭了伦巴底与威尼沙的革命，镇压革命本借助于军队，假使军队同情于革命的话，那么，革命运动即使失败也没有这样快，可惜当时军队大部分从农民出身，他们在革命前已得到利益，所以由农民群众所组织的军队已成为旧统治者镇压革命的巨石。奥国军队消灭了伦巴底与威尼沙的革命以后，马上转过炮口向匈牙利射击。可是维也纳的民主主义小资产阶级及工人反对这种举动，千方百计的阻止军队的运输；这时他们很明白，匈牙利被征服之后，马上要临到自己的头上来，他们乃于一八四八年十月，以革命的血战，占据维也纳，不幸终被焚狄士格累次率领大兵击破。奥国革命之火便成为灰烬了。

德意的白色恐怖

残酷的屠杀，又转到柏林，皇帝取消了立宪，走上了极反动的道路。结果，在一八四九年普国军队解散佛兰克福议会，在全德意志各小国境内实行白色恐怖，逮捕许多嫌疑犯交军事法庭予以杀戮。这样一来，政府就实现了它在临时退让与革命惊骇之前的复仇。

在意大利国内也发生了反动。沙地尼亚的人们还在幻想实行宪法并能成为统一意大利的中心，可是这种幻想终被残酷的现实打破了。在许多小国内，恢复了专制，禁止一切反政府的言论，取缔一切自由主义的思想，施行了空前的惨杀，革命残垒的罗马城也被路易拿破仑的大军占据了，取消了共和制，恢复了教皇辟斯第九（Pius Ⅸ）的统治。

尼古拉蹂躏匈牙利

剩下的只有匈牙利。但匈牙利的独立给了俄皇尼古拉第一以极大的威胁，他感觉到匈牙利的独立必然震动俄国在波兰的统治，所以，愿意帮助奥国。在奥皇斐迪南退位以后，新皇法兰西斯·约瑟夫（Francis Joseph）便随时随地去亲善俄皇，以求其军队的援助。到一八四九年夏天，俄皇出征了，帮助奥国削平匈牙利的革命。因此，奥国政府用极残酷的手段，绞首，断头，枪杀，恢复匈牙利的秩序。反动势力打破了一切，革命时代所获得的胜利都随血花漂去了。

到了一八五一年之末，整个欧洲平静无事。尼古拉第一以为俄罗斯是世界上最强盛的国家，不知道自己的内部正在酝酿着革命的酵素呢！

练习问题

（一）一八四八年的革命，何以首先爆发于巴黎？何以很快的蔓延全欧？

（二）试就自己意见，对法国临时政府的设施，加以批评。

（三）一八四八年法、奥、德、意、匈等国革命的性质果相同么？

（四）一八四八年的欧洲革命终归失败，其主要原因何在？

参考资料

（一）《近代欧洲政治史》第三章（商务印书馆）

（二）《现代文明史》第十一章（亚东图书馆）

（三）《西洋史要》第十一章（南强书局）

（四）《革命与反革命》（新生命书局）

（五）Hayes：*A Political and Social History of Mordern Europe*，Chap. XIX

（六）*Eighteenth Brumaire of Louis Bonaparte*

第七章　俄国农奴解放与美国南北战争

第一节　俄国农奴制度的内容

农奴制度形成的背景

“农奴制度”（Serfdom），中欧各国在中世纪亦尝有之，但到十五六世纪时，已归于消灭。但俄国自莫斯科大公伊凡三世（Evan Ⅲ）颠覆蒙古的羁轫以后，一方受蒙古遗族的蹂躏，一方受波兰及立陶宛等国的侵凌，从事于国土的防御与侵略者，计有三百年之久。直至大彼得及喀德菱第二（Catherine Ⅱ），先后并有立陶宛，波兰以及蒙古族之克里米，而后国防始固。因此，在中国造成一种军役阶级（Serving Class）。这些军役阶级，借其拥兵卫国之余威，遂举中国可耕之地而私为己有。久而久之，各该地的村农，亦由为国服役的义务，渐次蜕变而为军役阶级服劳役的义务；甚至随其耕地为转移，变为军役阶级私人的奴隶。这即是俄国“农奴制度”形成的背景。不过这种制度之造成，也非一朝一夕之故。自十六世纪定禁止农民移居律，十七世纪实行禁止农民移居；从此农民附着于土地。而土地又非其所有，于是农奴之身份乃定。直至十八世纪之末，这种制度遍于全国。兹录一七八三年的人口调查于下，以见当时俄国社会的组织，因当时为俄国“农奴制度”最完成之时代！

地主私有的农奴	6,678,239 人
国有的农奴	4,674,603 人
自由小农	773,656 人
城市居民	293,743 人
商人	107,408 人
享有免税特权之阶级（贵族教士国家官吏）	310,880 人
总计	12,838,529 人

此一千二百八十三万人口（专指男子言，因俄国当时调查户口，是专为纳税而设，故此次人口数，即纳税人数）中，村居的农民占一千二百十二万人，居全人口百分之九四点五，此一千二百十二万村居的农民中，自由农民只七十七万，其中大部分皆为农奴。从这里可见

农奴制度极一时之盛了。

农奴的种类及其生活

前面已讲到地主私有的农奴与国有的农奴，这两者的生活是不同的。

（甲）地主私有的农奴——凡属地主私有的农奴更可分为两种：一为给役农奴（Barshchina Peasant），一为赋役农奴（OIbrok Paying Peasant）。再分述如次：

（1）给役农奴——这种农奴，每星期中必须以三日专为地主工作，其余三日为自己生产之用。但这只至保罗第一（Paul Ⅰ）时，始悬为定律，而事实上却仍有不止三日者；甚至有六日都为地主服役，亦属习见之事。并且，不但农作之时是这样，即冬日农隙，也须为地主做家务，又须随时献其农作副产物，如鸡、豕、羊、鸭、葡萄、香菌之类于地主。农妇则献其辟纑纺织之手工品。质言之，凡为给役农奴者，不得为自己生产，生产所得，亦不得享用，须尽其所有，贡之于地主。

（2）赋役农奴——赋役农奴，较给役农奴为自由；耕地主之田，而向地主缴纳农作物或租金。惟缴纳之额，悉由地主决定。有时地主认其耕作所得为不足，亦可令其从事他项工作，而夺其收入。质言之，所谓赋役农奴，即以代役之农奴。

以上所述，不过就地主榨取农奴劳力一事而言。其实无论就事实言，就法律言，这些私有农奴，绝谈不到人格。地主对农奴，可课以额外之工作，可施以残酷之鞭笞；可以强迫其婚嫁，可以处置其财产；农奴有过，可以囚之私狱，可以流之远荒。甚至地主遇贫窘或破产时，可以公然将农奴计头标价，陈列为商品，而售之于市。地主无论如何虐待，农奴不得控诉，即诉亦不得直。一言以蔽之，无论为国家，为私人，都视农奴为财产，绝未将其当作人看待。

（乙）国有的农奴——国有农奴（State Peasant）为类亦伙；其中七分之二为旧教会佃农（Church Peasants）；其后为经济学院（Economic Collegium）所辖，故亦谓之“经济农奴”（Economic Peasants）。其七分之一，则为官署农奴（Court Serf），系由喀德菱第二解放大批给役农奴，而轻其赋，使服务于官署中者。这些农奴异于私有农奴者，在于不能离其土地而出售。当喀德菱第二时，北俄、中俄、东俄各省国有农奴中，又有所谓皇家农奴（Tzar's Peasants）及官厩农奴（Stable Peasants）。皇家农奴指给役于罗曼诺夫（Romanoff）氏各宗室亲贵之家者言；官厩农奴，则给役于官厩者言。此外更有所谓国用农奴（Fiscal Peasants），则供国家事业的劳役，其中用于国有私有各工厂中者，约三十三万人，亦谓之所有农奴（Possessional Peasants），意谓为工厂所专有。又有派用于军用森林中，或用为驭者，十六万人，都司官道驿站之役。

私有农奴与国有农奴的区别

上面所谓私有农奴与国有农奴，其分别不过一可离其土地而标卖，一则必须随其土地而出售；都是可以买卖的。这些农奴，常在无可奈何的关头，铤而走险，残杀地主，以求一逞。所以遇到新君即位，农村即先谣传要解放农奴，于是各地揭叛旗者趾踵相接。在喀德菱第二即位时，农奴揭叛旗者，达十五万人。最烈的一次，则为一七七三年普格叔夫暴动（Pugachev Insurrection），乱区遍全国；且明白宣言专以反对“农奴制度”为宗旨。

此后，叛乱时起。最甚者，保罗第二初即位时，同时并起者达三十二省；尼古拉第一即位后，四年中乱事陆续发生者，多至四十一起；终尼古拉第一之身，竟有五百五十六起之多。

第二节　俄国农奴制度的崩坏

到亚历山大第二的时候，为俄国社会组织基础的农奴制度，终不能不出于解放。这并非亚历山大第二发什么慈悲，实由农奴制度的基础已由动摇而崩坏，不惟农奴本身因活不下去而急需解决，即农奴以外的其他分子，亦感受这种制度的不适时宜，要求改弦更张。农奴制度必须解放的原因，约而言之，可分三种。

工业方面的原因

工业发达须要大批自由劳动者——自大彼得提倡制造工业后，俄国机器工业日趋发展，喀德菱第二宽定关税，国外贸易又日盛，于是工厂日多。终喀德菱之世，国内工厂数由九百八十四所，增至三千一百六十一所。

这些工厂，其初大部分为商人经营的企业，各处地主见其有利可图，亦于自己的土地内，设立工厂。故当时的工厂有三种，其中所需的劳工皆农村中的农奴。

（A）自由工厂，即商人所设之工厂，招致地主的赋役农奴做工。

（B）农奴工厂，系地主所办，大抵将给役农奴转用到工厂内。

（C）所有工厂，一部分经营企业的商人，以雇用农奴做工，必得地主的承诺，而地主又往往于工厂正忙之日，召回农奴，使工厂主穷于应付。于是那些商人陈请政府准其购买附有农奴的农村，以供工厂之用。这些农奴一进工厂即成为工厂的附属物，名为“所有农奴”；这种工厂亦称“所有工厂”。

三种工厂所用的工人都是技术甚劣的农奴，说不上熟练，且他们又非为自己生产，势不得不苟且塞责，以致效率甚低。而第三种工厂，以购买农奴附有条件，遇到营业有变化时不能自由增减人数。（农奴工厂亦受相当限制）只有自由工厂比较运用自如。于是自由劳动力就成为客观的需要了。想得到自由劳动力，非解放农奴不可。此其一。

农业方面的原因

谷类输出日广须要自由农民——四十年代以后，俄国谷物输出激增，谷价因之腾贵。各地主都想努力生产以博巨利。于是赋役农奴也改为给役农奴。但给役农奴终日为地主生产，自己一无所得，其工作之兴趣，当然不能与计工给值的自由农民比，故其生产率亦不如自由农民。据实际计算，农奴生产率为一五点五，而自由农民则为四三，相差几达三倍。所以希望多产谷物的地主，都欢迎计工给值的自由农民，不愿豢养生产力低下的农奴。然想雇用大批自由农民，也非解放农奴不可。此其二。

地主方面的原因

农奴人口增加与地主负债过巨——十九世纪上半期，农奴人数比一八七三年第四次调查之数，增加四百万人。地主之土地不加辟，生产不加多，而对农奴的剥削却日感困难，欲用之于他种生产，则又不能与商人的机器工业竞争。欲购买机器而又无资本。即有之，而使用机器的技术，亦非农奴所能胜任。于是过剩的农奴，成为地主当前的难题。一遇凶年，即驱之乞食于外，无法安置。且当时俄国对波兰与土耳其常有侵略战争，所需饷糈，不能不索之于贵族地主，于是这些地主不能不以土地与农奴为抵押，向银行借贷。计当时地主所负之债，平均计算，每一农奴分担九十六卢布；而其时农奴的价值平均每人不过百卢布。地主负债既巨，而又感农奴过剩之苦，于是都想给农奴以自由，使农奴出钱赎身，以为偿债之用。此其三。

有上三因，农奴制度便崩坏了，是以有一八六一年二月十九日农奴解放宣言的公布。

第三节　换汤不换药的俄国农奴解放

解放农奴的办法

俄国农奴制度，在五十年代，除少数小地主外，无论为地主，为商人，为农奴本身，都欲废止之以为快。会一八五四年克里米战役，俄军为英法联军所败，政府威信锐减，国内解放农奴的运动益烈。当时俄皇尼古拉第一正死，新皇亚历山大第二即位，欲借解放农奴以收拾人心。于是条陈解放办法者大有其人。新皇亲信的内政大臣蓝士奎（Lanskoy）约成办法三条于下：

（一）由俄帝通令废止农奴制度，而不分地予农民。

（二）废止农奴制度，仍予农民以其所耕之地，但令农民计值偿金于地主，以取得所有权；农民一时无力偿债，则由国家垫付，分年缴还。

（三）农民受地于地主，而以替地主服务或缴纳赋税的义务为偿。

这三项办法，（一）农奴虽本身无土地，犹得耕地主之地以为生。一旦解放农奴，不分给土地，不独无以偿要求土地的热望，即非自己之田亦不得耕；（二）国家垫款的办法固可行，但俄国当克里米战败以后，国库空虚，无款支分。故蓝氏之意，以第三项办法可备采择，以此征求各方意见。嗣因各方意见纷歧，乃于一八五七年一月组织机密委员会审查，更于一八五九年三月设修订委员会厘订。至一八六〇年，由修订委员会提出方案，交国务会议讨论。国务会议于一八六一年二月十七日定议，至十九日由俄皇签字公布，于是数世纪来为农民症结的农奴制度遂正式废止了。

解放农奴的不彻底

然而农奴制度虽经明令废止，但农民仍未获得解放。因为“自由”与“土地”两项，依然与农民不相干。（一）就自由言，按照二月十九日条例，固已解除农民与地主间主奴之关系，但在私权上农民仍与地主不平等，不过由农奴升格而为纳贡阶级而已。当时有所谓“保甲制度”，农民一经登记不得自由迁移，不得自由从业，亦不得任意由此甲入彼甲，凡甲中人须互相担保。质言之，人系于甲，不能离甲而自由行动，即政府束缚农民不得离土地而他去之另一形式。又按条例，农民在九年之内，地主分与土地，不得拒而不受；既受其地，即负纳赋于地主或为地主力役而不得规避。所有这些办法，都是羁勒农民使其附着于土地，不得自由。

（二）就土地言，按照条例，固许被解放的农民得保留为农奴时所耕种之地，至受地后对地主所缴纳的赋额，每年为八至十卢布；若无力缴纳，则力役三十日至四十日以代之。据此，农民所受之地，最多不得过于其为农奴时原有之数。然原有耕地，只能维持其最低生活，一星期只须三日耕而已足。解放以后，耕地不增加，又须纳税于国家，纳赋于地主，是其所得尚不及为农奴时之多。

所以农奴解放，虽于法律身份上得到少许自由，而在经济生活上反较前艰窘。这种不彻底的解放，大违农民的要求，沙皇时代从事生活的农民仍处于非人的待遇，无由自拔。于是农村革命的火焰，终于燃烧起来。

第四节　到民间去的俄国民粹派

民粹派运动的起源

民粹派（Narodniki）在农奴解放之初，即六十年代已有之，而创始者则为郝岑（Herzen）。一八六一年，彼得格勒大学生不满于农奴解放而骚动，政府手慌脚乱，蹂躏学校，斥逐学生，而投诸监狱。郝岑氏于《警钟报》（*The Bell*）申告被逐的学生说：

> 青年呵！你既失学，到何处去呢？我告诉你罢！现在时代虽然黑暗，但还不能掩蔽你的耳朵。你听到呻吟之声吗？你听到怨毒之谤吗？这些声音，来自顿河，乌拉河，窝瓦河，

尼博河之流域，来自农民所住的农村。这实静
极思动以后所发的第一声，正要激成巨浪。你
在此时，不如“到民间去”（To the People）！
去吧！那里正是你的居处！

这些“到民间去”的呼声，当时已深入青年的心坎，只以政府压迫过甚，激成虚无党（Nihilists）之“个人自由运动”，一时“到民间去”的呼声，转趋沉寂。

巴枯宁派与柴柯夫斯基派

到了虚无党屡次失败，于是社会运动复起。加以一八六八年斯摩伦斯克（Smolensk）大饥，农民颠沛流离，无处告诉。青年悲天悯人之心，油油然生，起而与政府对抗。政府则又下令驱归田舍，于是一时为智识阶级大本营的学生，遂各散归，遍布全国，从事宣传。俄皇既斥逐大学生，又以留学西欧之青年男女，与国内运动通声气，亦于一八七三年令其回国。这些留学生既归，亦加入“到民间去”。当时策略约分两派：一为巴枯宁派（Bakunin）派，一为柴柯夫斯基（Chaikovsky）派。巴枯

宁派主张青年尽可舍弃学校生涯，“到民间去”领导民众。至所谓领导云者不是给以知识思想，而当鼓励人民反抗现制度。柴柯夫斯基派则与之相反而相成，其主张以为非“到民间去”与民众营共同生活，不能领导民众。于是分往农村，或为医士，或为药剂师，或为学校教师，以求得民众的信仰。更有进一步与民众相习者，则多从事木匠，铁匠，鞋匠，以及其他种种劳动。女子则为看护，产科医生，或学校教师，其方法则教民众读书识字，使从黑暗而进于光明，同时且可洞知民众对于改良社会生活的心理。所以巴枯宁派则为革命的民间运动者，柴柯夫斯基派则为和平的民间运动者。但后者在民间用以宣传的书籍，不外马克思的《资本论》(*Capital*)，傅拉罗夫斯基（Flerovsky）的《劳动阶级之地位》与《社会科学启蒙》，也大遭政府之忌，而被拘捕。村民对他们亦不甚信任，且有卖他们于政府者。民粹运动遂告失败。

民意团与黑色派

民粹派从失败中认识要继续运动，非有一种组织不为功，于是结合一种团体，叫做“土地与自由”，含革命的和平的两种分子而成，主张仍不一致。即一派主张非打破政治上的压迫，社会革命无成功之望，应该组织一特殊执行委员会专与致府作恐怖的斗争，以暗杀为手段；一派则以介绍马克思主义最有力的普列哈诺夫（Plechanov）为首领，先从事社会上的宣传，而后从事政治上的奋斗。两派于一八七九年正式分裂，前者人数较多，成立所谓民意团（Will of The People），后者则另组织一种团体，叫黑色派（Black Partition）。总之：民粹派到民间去，是一群小资产阶级的智识分子之初期革命运动，他们认为农民是最革命的阶级，所以离开城市，跑到乡村，结果宣告此路不通，归于失败。可是俄国社会民主工党却能从这种失败经验中取得教训而走上胜利的大道理！

第五节　美国南北战争的原因

战争前美国经济的发展

一八六一至一八六五年的美国南北战争（Civil War），是美国历史上划时期的大事。要明白这次战争的必然性，就不可不把美国经济发展的情形略加叙述。一般说来，美国资本主义越向前发展，则南北各州的经济利益越不调和。美国在独立战争后，人口一天天增加，一八〇〇年只有五百五十万，一八二〇年达到九百五十万，一八五〇年达到二千三百万，一八六〇年则为三千一百万。人口急剧增加，即是说国内市场继续扩大，更促成工业的发展。北部及中部各州工业的突飞猛进，有下列数字可以证明：一八〇五年只有四个绵织厂，一八一一年已有八十七个，一八三一年已有七百九十五个，一八四〇年竟有一千二百四十个。一八四〇年只有纺锭二百万，一八五〇年已有三百五十万，到一八六〇年则有五百万以上了。一八二〇年铁的产额只有二万吨，一八三〇年已有十六万五千吨，一八四〇年更升至三十一万五千吨。南部各州，一切经济仍建立于奴隶劳动之上，棉花生产极为发达，为美国出口货大宗。一八二四年输入英国的棉花为十七万二千磅，一八四四年为四万万磅，到一八六〇年全美出口总额不过三万零七百万美金，而棉花一项却有一万九千一百万美金，几达总额三分之二。这些数字，画出两个经济结构的分野图。

战争的中心问题

美国南北战争的原因，本由于南北各州经济结构的不同，北部各州大抵从事工业与矿业，而南部则专营农业。这种产业上的分工，以及必然伴此而生之各种条件的差异，实引起绝大的利害冲突；这种利害冲突，反映在下面两个中心问题上。

（一）黑奴问题——美国南部从前栽培烟草以非洲黑奴为劳动力的源泉。到烟草栽培业衰落时，对于黑奴的需要减少，曾引起奴隶劳动的非难，以致一八〇八年有以法律禁止非洲黑奴输入之事。到棉花栽培代烟草而起之后，黑奴算是最适宜的劳动者，因此，奴隶制度又复活起来。当时法律虽禁止黑奴输入，然由于（1）黑奴的秘密输入；（2）已输入的黑奴因自然诞生而增加；（3）从前用过黑奴而后来不用的地方——如马里兰，维基尼亚，即将黑奴移徙；于是黑奴遂集中于南部的棉花栽培地带。在一七九〇年黑奴只六七七八九七人，一八三〇年为二〇〇九〇四三人，到一八六〇年则增加到三九五三七六〇人。即是说，黑奴人数在南部九百万白人当中，要占三分之一以上，可想见黑奴劳动的盛行。

其次，应该注意到这些黑奴只被三十八万白人所使用，除去这三十八万人外，大半是连一个黑奴也没有的小农。而北部从事工业与矿业的人，却只需要有知识的劳动者。绝对用不着黑奴。因此，竭力维持黑奴劳动的南部，与主张废止黑奴的北部之间，便蕴藏着大的争斗。

（二）关税问题——南部的地主要求与欧洲自由贸易，想在自由贸易政策之下，用棉花，烟叶等农产品交换工业品。北部的制造家则与此相反，他们需要保护工业，以免受英国工业品的竞争，因此，赞成保护关税制度。自从南部占了胜利主张压低关税率以来，北部又为关税问题与南部成对立之势。

这两个问题，都是南北两部利害冲突的焦点。很明白的说，北部工业资本家要削弱南部的经济基础，而南部的大地主亦不甘受北部的压迫，所以起来反抗。如果不了解这一点，认为北部是同情黑奴的，南部是虐待黑奴的，把不可调和的经济矛盾，看成纯粹道德问题，那就只窥见南北战争的表面，而忽略了南北战争的本质，这是与事实相去万里的。

第六节　美国南北战争的过程

战争的导火线

废止黑奴运动，差不多在十九世纪前半期成为美国历史上一件大事。到了五十年代，这种运动益趋高涨，斯陀（Stowe）女士于一八五二年，印出她的名著——《黑奴吁天录》（小说），以极流动的词句，描写奴隶制度的罪恶，一瞬间销售几十万本；又在北部各村落排成戏剧扮演。当时有几百万人都惊疑到：还可长此容忍奴隶制度么？有些很有力量的而又反对奴隶制度的人，脱离旧党（民党与民主党）组织新党（共和党），每届选举总统，新旧两派竞争颇烈。林肯（Lincoln）本是南部田间的儿子，少年时曾在田间及树林里做过工，他不喜欢奴隶制度是人人都知道的。在林肯当选总统的消息传出以后，南部各邦即预备脱离联邦，南卡罗来纳（Carolina）首先发动，于一八六〇年十二月，宣告与其余各邦间的联盟已经解散，要在“地球上自由独立的国家”中占一地位。其他南部各邦，在一八六一年三月四日以前，即林肯就职的时候，密士失必，佛罗里达，阿拉巴玛，佐治亚，路易斯安那及得克萨斯各邦都宣告独立。

林肯就任演说

林肯在一八六一年三月四日就任演说词上，曾宣言：（一）联邦成立比宪法及独立都在先；（二）要设法使它永存天壤；（三）各邦都得矢忠维持；（四）没有一邦仅以自己的感情可以有权与联邦脱离的。他又说，愿竭力使联邦法律在所有各邦中实行，他愿拥护及维持联邦。以下面的话结束他有名的演说词：

> 我的不满意的国人们，凶险的内乱问题握在你们的手中，不在我的手中。政府并不愿攻击你们。你们自己要不是甘为戎首，那里会有冲突。天国里并没刊着你们的誓言，教你们破坏政府。但我有最尊严的誓言，教我存救，保护，并维持它。我并不愿意格斗。我们本不是仇人，是朋友。我们必须不要作仇人。偏见虽说可以供我们的感情联结紧张，但须不要破坏

了才好。记忆中神秘的弦，已由各个战场上及各个爱国者的魂墓上，绷到这个大陆上各个生人的心里，各个人家的炉灶上了；要是凭我们良心上的善良再把它弹弹，联邦的谐声仍可以洋溢乎人耳的，这的确是可以做得到的。

双方力量的对比

当战争初开的时候，南部各邦有几种优势。在林肯上台以前，他们已准备战争数月，并夺取了境内的联邦要塞及兵工厂。他们的政治家虽然主政多年，却没有替联邦政府树起军力。除军士及粮秣足用以外，且有能力过人的将领，如李将军（Robert E.Lee），约克孙（Jackson）及约翰斯敦（Johnston）诸人，他们都在西部地方受过很好的训练。南部各邦以有贵胄主义为之统辖指挥，其勇往无前，本是不易克服的劲敌。

另一方面，北部也有许多优点。全国人口总数约为三千一百万，在北部住的有二千二百万强；南部人口中还有三百五十万是奴隶，成年的白种男子算起来并不满三百万；到战争快终止的时候，北部战地上的军士也与此相差不远。制造业——如钢铁与军需等重要工厂，都在北部。所以南部大部分的军用品须仰给英国。加之，北部财富比南部多许多倍，易于借钱维持战争。南部财源大半靠北部及欧洲销售棉花。北部封锁沿岸与逮捕出入港口的船只，即刻能破坏南部的进出口贸易。因封锁的结果，出口棉额在一八六〇年为二万万二百万元，到一八六一年降为四千二百万元，到一八六二年仅得四百万元。人、钱及原料都在北部。可见北部的力量实比南部为优。

林肯释放黑奴

战局既开，北部军队在东部阵线上每每失败；在西部阵线上则情形较好。然想获得最后胜利尚须有更大的努力。到一八六二年夏，显然看出非采用新的战略不足以打击南部。当时南部势力的源泉，即是凭黑奴的忠心，替他们耕田，替他们维持内部的秩序，替他们在战地上当兵。释放黑奴无以给南部以致命的打击。有些理想家早对林肯鼓励这件事，出征的将帅，因需要工人与兵士也早提出过，但都遭拒绝。直到林肯觉得这是一种很重要的战略以后，他才赞成释放黑奴的要求。于是在一八六二年九月廿二日宣言，以为南部各邦如不在一八六三年一月一日以前回到联邦之内，就必要宣告这几邦中的黑奴永远自由，南部各邦视这为无用的恐吓。结果，林肯于一八六三年一月一日实行海陆军大元帅的职权，发出释放黑奴的通告。

释放黑奴的通告，常被人解释错了，所以须特别指出两点：（1）宣言上并未废止奴隶制度，不过对联邦政府交战一部分地方的黑奴予以释放或自由。通告发出后，黑奴仍得在那些未退出的各联邦中存在，即是德拉瓦，马里兰，维基尼亚，墾塔启，及密苏里。（2）战争过后，黑奴能否释放还是不定的。因为林肯在奴隶制度上没有行政的权力。他以美国海陆军大元帅的资格所发出的通告，在战争收束以后是不生效的。所以有人说，释放黑奴只能继续存在于实际战争的期间而已。一直到一八六五年，修正美国宪法十三条，才正式实行废止美国各联邦的奴隶制度。

北部的封锁政策

战前南部的基本财源是棉业，在一八六〇年南部产棉四百七十万包，大抵售于英国，假使海上交通能够维持，几百万包棉花可以交换军需品及其他物品，则战争可以延长下去，也许结果大不相同。林肯懂得这一点，决定隔断欧洲与南部间的贸易。于一八六一年宣言封锁维基尼亚到得克萨斯的海岸线，命令战船沿着这一带海岸分布，特别注重海口，以停止并逮捕想出入于南部各海口的船只——无论属于南部的，英国的，或其他外国的。当初有许多棉花由封锁中偷漏出去，许多军需品偷漏进来。在英国及南部都造有许多快汽船，叫做“封锁的偷漏船”。在黑夜或有风暴的时候，这种偷漏船满载棉花或供给品，冲出或冲入紧闭的海口。后来北部海军增大，封锁的罗网也加密，于是“封锁的偷漏船”也无所施其技了。据说，在封锁时期中，被捕的船有一万五千艘之多。这种打击可以陷南部于绝境。

战争结束与林肯被刺

自释放黑奴的通告发出后，东西部的战争都展开了新局面。在东部阵线上，南部李将军曾于一八六三年六月终，深入宾夕发尼亚，以拊华盛顿之背，北部大震。林肯受各方面的攻击，罢免战败的呼克尔（Hooker）将军，以米德（Meade）代之。七月一日至三日，在葛的斯堡（Gettysburg）的恶战，死伤者在四万左右，胜利属于北方，李将军也不能不退却了。林肯到此时便于失意之余高兴起来。到七月四日，密士失必河上的维克斯堡（Vicksburg）亦在久受包围之后，向北部投降。在西部阵线上，九月间，奇喀毛加（Chickamouga）的战役，北部曾受巨创；后来，在格兰特（Grant）将军统制之下，卒把南部军队逐出田纳西（Tennessee）。到一八六三年终，战线已伸入密士失必，阿拉巴玛（Alabama），及佐治亚（Georgia）诸邦。从此以后，南部军队就日益疲惫了。被人呼为“石城”（Stonewall）的约克孙早已受伤死去，此时只剩下两支主力军，一由李将军率领，一由约翰斯敦率领。在“荒疆战役”（Battle of the Wilderness）大受损失之后，补充困难，封锁一天天加紧，灭亡似乎只是时日问题。南部副总统司蒂芬司（Stephens）与林肯谈判媾和条件，林肯要求解散南部军队，退出各邦仍回到联邦，并废止奴隶制度。南部不同意，决定战争到底。一八六五年四月，北部实行最后的攻击，李将军迫不得已向格兰特投降。以后数天，约翰斯敦亦解除武装归附，南北战争遂告结束。

战争结束以后，重睹和平，并没有两个对立的“全身武装结怨于心”的国家，只有一个统一的政府，北部在胜利声中，自然是鼓舞兴奋。不料事变之来有出人意料以外者，一八六五年四月十四日晚上，林肯正在华盛顿福德戏院（Ford Theatre）的座上，为伶人蒲士（J.W. Booth）所枪击，这人是被南部失败气得半疯了的。总统受了重伤，即移入私宅，次晨即一瞑不起。悲哀的消息如烈火一样的传遍全国，北部竟丧失其伟大的领袖了。

第七节　美国南北战争的结果

资本主义的胜利

南北战争的结果怎样呢？一言以蔽之，是北部对于南部的胜利，是北部的工业与矿业主打败了南部的农业贵族。美国便从此走上资本主义的康庄大道了。俾尔德（Peard）说得好："南北战争骤然使政治上的旧舞台发生变化。这次战争给予工业及铁路建筑以一大刺激。战争中所制定的关税法，当与外国竞争时，给予工业者以周到的保护。对于军用品，铁，钢，铁路材料，织物，食料品的需要，促成了北部各种企业，并且由于财政上的投机，政府需用品的包办，土地的拍卖等而生出来的大富豪，为要计划战争终了后的产业发展，掌握雄厚的资本于个人手中。"[1]这无异说，南北战争的结果，推动美国资本主义向前突飞猛进。

农业的发展

一八六二年所颁布的《和谟斯忒德法》（*Homestead Act*），即是农业发展的推进机。根据此法，凡住满五年的现实移住者，都免费予以无人管领的土地，这是使农民容易以小资本获得土地的法律。土地大抵属于西部，据统计，一八六〇年以后，二十年间，共有六千五百万英亩的土地给予个人。到一九〇〇年，一直到太平洋岸

[1] *Contemporary American History.*

为止的土地全被移住了。于是西部发展运动终止了，这叫做“国境消灭”（End of Frontier）：不仅为工业拓张了广大的国内市场，并且更引起伸展手腕于国外的动机。

工业的发展

南北战争以来，在美国史上最重要的特征，即是工业的发展。美国的工厂制度，从一八一二年起，便蒸蒸日上，到南北战争时更显出飞跃的进展。当时政府颁布了高率的关税法，木棉，羊毛，丝绸，铁制品，毛织品，都用高率的关税来保护了。到一八八〇年，美国的工业生产已凌驾于农业生产之上，即是说，工业已为美国立国的基础。嗣后工业的发展更足惊人。进到二十世纪，美国已成为世界上第一个工业国。兹附下列统计以资证明：

年份	1859 年	1879 年	1899 年	1919 年
人口（人）	31,443,000	50,155,000	75,994,000	105,710,000
农产物价值（美金）	——	2,213,000,000	4,717,000,000	23,783,000,000
工业品价值（美金）	1,886,000,000	5,370,000,000	11,407,000,000	62,418,000,000
投资额（美金）	1,011,000,000	2,790,000,000	8,975,000,000	44,688,000,000

续表

工钱支付额（美金）	378,897,000	948,000,000	2,008,000,000	10,533,000,000
工钱取得者（美金）	1,313,000	2,733,000	4,713,000	9,096,000

总之：无论从何方面说，南北战争确是美国历史上划时期的大事。

练习问题

（一）俄国解放农奴与美国释放黑奴是否出于人道主义？

（二）对于俄国民粹派的批评。

（三）美国南北战争，何以北胜南败？

（四）南北战争何以是美国历史上划时期的大事？

参考资料

（一）《俄国革命史》第一第二两章（商务印书馆）

（二）《美国资本主义发达史》第七章（新生命书局）

（三）《美国社会势力发展史》第十九第二十章（神州国光社）

第八章　欧洲的民族运动与社会运动

第一节　意大利的统一

民族运动与战争

从一八一五年至一八五〇年，欧洲各国——尤其是中欧与西欧——都曾发生过不断的骚乱，但他们相互之间，并未有正式的战争。而在此时期以后，欧洲各国，战争迭起。英法与俄罗斯有克里米战争（Crimean War——一八五四至五六年），法国与沙地尼亚有对奥战争（一八五九——六〇年），以后有普奥对丹麦战争（一八六四年），有普奥战争（一八六六年），有普法战争（一八七〇——七一年），有俄土战争（一八七七——七八年）。这些战争都是直接间接起于民族统一运动，而一八六三年的波兰革命，亦由同一原因而起。因此，在某种意义上可以说，十九世纪后半期的欧洲，民族运动的怒潮已升到最高点。

政治家加富尔

兹先从意大利说起。意大利的统一运动，前面第五章第六节里已约略讲过。一八四八年意大利的反奥运动亦随欧洲革命的消沉而失败。事实证明意大利的统一，不可不结外援。沙地尼亚政治家加富尔（Cavour）是懂得这一点的。适沙地尼亚新君耶玛留（Victor Emmanuel）即位，命加富尔于一八五二年出来组阁。加氏以沙地尼亚地壤褊小，国力微薄，人口不过五百万，国内分成四区，各区又复互相猜忌，如无他国之助，则统一不易告成。在当时诸国中，加氏以法国比较可靠，尝说："无论我们的好恶怎样？将来实要借助于法国；迟早之间，欧洲必有运动会，而我们必为法国的伴侣。"

路易拿破仑与意大利

路易拿破仑在青年时代，曾参加烧炭党，他掌法国政权以后，也标榜以民族为本位而组织独立国家，借以维持和平，所以相当同情于意大利的民族运动。加富尔在克里米战争紧急的关头（一八五五年一月），向路易拿破仑提出愿以沙地尼亚军队相助，遂与法国订攻守同盟之约。至一八五六年在巴黎开和平会议时，沙地尼亚获得列席资格，加富尔力言奥国占领北部意大利，实有扰乱欧洲和平之虞，并要求路易拿破仑援助意大利独立。同时，路易拿破仑亦欲在国外立功以博国民的同情，或乘此进一步为意大利的保护者。一八五八年七月二十——二十一日，加富尔与路易拿破仑会见于普伦比耶（Plombteres），订立对奥同盟，法国与沙地尼亚共同驱逐奥国出意大利。如果成功，则沙地尼亚允割萨瓦（Savoy）及里司（Nice）两地给法国。

意奥战争

加富尔既与法国订立对奥同盟，他就积极准备战争，并预定在路易拿破仑未变计之先挑起战争。果然，战神便于一八五九年四月降临了。路易拿破仑宣言不抛弃其同盟国，出兵助战，败奥军于麦坚塔（Magenta）。六月八日，路易拿破仑与耶玛留并驾入米兰城，人民欢声雷动。六月二十四日又败奥军于索菲利洛（Solferino）。奥国在意大利半岛上的势力几乎破坏无余。不意路易拿破仑忽与奥国在维纳佛兰克（Villafranca）订休战条约，留威尼沙于奥国之手，欧洲各国闻之，无不惊诧。路易拿破仑所以如此，实不愿意大利得到真正的统一，贻法国以将来之患，故仅以伦巴底，帕玛（Parma），摩德拿（Modena）与辟得蒙，使意大利的统一不致过分。可是意大利的统一运动既出自社会各阶级的要求，自然不是路易拿破仑所能遏止。

意大利王国的成立

一八五九年八九月间，帕玛，摩德拿及多斯加三地的人民，宣言永逐其元首以与沙地尼亚合并。亚平宁山（Apennines）以北的教皇领土罗马纳（Romagna）亦宣言脱离教皇加入于沙地尼亚之内。各邦都引用沙地尼亚的宪法，此种国民运动就把意大利统一之局展开了。

南部意大利的拿不勒斯既不愿与沙地尼亚联盟，又不欲实行立宪，其时有加里波的（Garibaldi）者，本是一个船员，在一八四八年革命时，曾取得革命的光荣，受全意人民的赞仰，于是决意以武力强迫南部意大利及西西里（Sicily）与沙地尼亚合并。他在一八六〇年五月，率领“红衣”志士一千人由热那亚（Genoa）渡海，向西西里而进，打败拿不勒斯的军队，以耶玛留第二之名义占据该岛。不久，登意大利半岛与拿不勒斯军队交战，九月六日进拿不勒斯城，南部意大利亦定。

一八六一年二月，有一代表全意大利（除威尼沙与罗马）的议会集于狄林（Turin），其第一件大事，即在议定以意大利国王的名号奉于耶玛留，意大利王国从此成立。

一八六一年后的意大利

要完成意大利的统一须取得威尔沙与罗马，要办到这一步，不可不推翻奥国与法国的势力。一八六六年春，普奥战机甚迫，普欲得意大利之助，乃于四月间，与耶玛留缔结条约。七月间，战争开始，普意合攻奥国，败奥军于沙多瓦（Sadova），于是威尼沙复归入意大利的版图。

意大利既收复威尼沙，仍不忘情于罗马，然路易拿破仑受罗马旧教党的包围，坚持反对。会一八七〇年普法战争发生，法军驻留罗马者均撤回，意大利军队遂得入罗马城，教皇成为“意大利政府的囚犯”。罗马城及教皇领土以十三万票的多数，于一八七一年一月合并于意大利，反对者仅一千五百票而已。意大利统一运动全功告成。耶玛留迁入罗马时宣言说：“吾人竟入罗马矣，吾辈将永留此地也。”此后沙地尼亚的宪法遂为意大利王国的宪法。

第二节 德意志的统一

统一的经济基础与军备

一八四八年佛兰克福议会中的维新党人本有统一德国的计划，但以德国诸邦的君主负固自守，各不相下，又以普鲁士君主畏惧奥国的干涉，以致计划完全失败。可是德国北部诸邦的产业日益发展，市场范围扩大，不能以本邦的界线为限，事实上若不统一，便足以妨碍经济的发展。所以，德国在政治上虽未统一，而在经济上却已在“关税同盟”的形式上筑就统一的基础了。一八五八年威廉第一即位，为普鲁士开一新纪元。威廉第一为人沉毅有为，即位之始，即以排除奥大利于同盟之外，合其余诸邦而建设一强有力的国家为己任。他以为普奥之战，断难避免，故专心于武力的扩张。普鲁士自威廉第一一意整军经武以后，全国实行征兵制，一旦动员，立即可以召集四十万人。不但奥国非它的敌手，就是法兰西也不敢小视它呢。

铁血宰相

一八六二年，威廉第一任命俾斯麦（Otto von Bismarck）为相。俾斯麦极忠于普鲁士，欲以普鲁士的精神贯注于德国诸邦。他深信君权神授之说，不赞成代议制，对于思想自由十分藐视。他以为欲达德国统一与强盛的目的，非“铁与血”不为功——即铁血主义。一九一四年欧洲大战之巨灾，俾斯麦的铁血主义，亦其中主要的原因之一。

俾斯麦以为欲使普鲁士雄霸欧洲，其要点有四：（一）普鲁士要有强大的陆军；（二）奥大利非驱出德国范围之外不可；（三）普鲁士的国土必须增加，凡介于普鲁士领土间的小邦均应合并之；（四）德国南部诸部非诱之北附不可。他根据这四要点，立即实行，当然第一是练兵。不数年间，普鲁士的军力骤增，已有战胜其世仇之望。俾斯麦既欲逐奥大利于同盟之外，乃利用叙列色维格和尔斯太因（Schleswig-Holstein）事件以实现其计划。叙列色维格和尔斯太因两地中的居民多系日耳曼种而附属于丹麦。一八四七年丹麦王宣言将两地合并于丹麦王国。德人闻之，莫不愤怒。俾斯麦以为欲解除此事的纠纷，莫过于将此两省夺为己有，同时并可得对奥国宣战的机会。他先用甘言诱奥国与普鲁士共同对丹麦宣战。一八六四年二月，奥普联军进逼丹麦，丹麦大败，遂割让此两省以求和。至于两省领土之处置，一听两国自决。俾斯麦实不愿两省之平分，欲单独收为己有，以引起奥国对普鲁士宣战。乃于和尔斯太因境内沿波罗的海滨的基尔（Kiel）地方修筑军港，为驻屯普国海军之用，奥国果大愤，而战端遂伏下导火线了。俾斯麦"真奸雄哉"！

普奥战争

一八六六年四月，俾斯麦与意大利秘密订结攻守同盟，许意大利取得威尼沙。普奥两国的冲突日益厉害。一八六六年六月，奥国使议会下令召集“同盟”的军队与普鲁士战，普鲁士议员遂宣言“同盟”解散。六月十四日，普奥两国均正式宣战。德国诸邦除梅格棱堡（Mecklenburg）及北部诸小邦外，莫不助奥以攻普，俾斯麦急向北部诸大邦如汉诺威（Hanover）、萨克森等要求令其与普国一致。诸邦不允，普军遂首先侵入其境。以训练有素的普军，征略北部诸邦，势如破竹。七月三日，复大败奥军于沙多瓦，三星期之后，奥军溃不成军，普鲁士遂为德意志诸邦中唯一的领袖。

北部德意志联邦

普鲁士深知梅茵（Main）河以南诸邦尚未有与北部德国联合之意，故仅合梅茵河以北诸邦而成北部德国联邦，普鲁士并乘机扩充领土，凡北部德国诸邦之曾反抗普鲁士者，除萨克森外，无不据为己有。普鲁士的领土既大加扩充，乃召集诸国筹商制宪的方法。普鲁士所抱的目的有三：（一）普鲁士统治下的人民，不问属于何邦，都应予以参政的机会；（二）普鲁士的霸主地位须始终维持；（三）同时各邦君主的尊严又不能不顾及。乃决定以普鲁士王为联邦的总统，设联邦议会为立法机关。联邦议会的表决权数共四十三，而普鲁士竟得十七，且同时还可得他邦的援助。所以北部德意志联邦虽名为全体联邦所统治，实则为普鲁士一邦所统治呢。

普法战争

一八六六年，普鲁士大败奥国，法国皇帝拿破仑第三闻之，大为惶恐。法国皇帝本希望普奥战事延长，使他们两败俱伤，彼可以坐收渔人之利。不料普奥战争不及一月即告终结，他便嗒然若丧！同时，他经营墨西哥，以被窘于美国而失败，政府威信扫地无余。正当其时，荷兰欲售卢森堡（Luxemburg）于法国，而普鲁士又要作梗，使他不能如愿以偿。在这种情况之下，法国皇帝被逼得不能不与普鲁士一战，一以泄胸头的忿火，二以收既失的民心。普鲁士新胜之余，俾斯麦睥睨一切，也正想和法国比一个高低，以发挥他铁血主义的威力；自然，他最希望的，是在战争之后，得扩大德国联邦的领土，增加普鲁士统治的版图啊！恰巧这时候，西班牙发生王位继承问题。西班牙自一八六八年女王伊萨伯拉（Isabella）被逐以后，王位空虚。西班牙国会议决迎立普王威廉第一同族的利欧破尔德（Leopold）入承大统。法国皇帝又大惶恐，以为此事如果实行，无异西班牙合并于普鲁士。法国外交部大臣反对此举，引起普鲁士人的愤激，尤其是一般好战喜功的武人。一八七〇年六月，利欧破尔德得普王的同意，竟贸然入继西班牙的大统；法国立即抗议，遂不果行。此事原可就此结束，不料法国犹以为不满意，要求普王担保不再重提此事。普王不允，一八七〇年七月十九日，法国遂与普鲁士宣战。

普法宣战后，南部德国诸邦都援助普鲁士，不数日普军渡过莱茵河，法军败退。在梅茨（Metz）附近，血战数次，法国一师军队被困于城中。不二月又有色丹（Sedan）之战。一八七〇年九月一日，德国人又俘法军一师，且俘获法皇路易拿破仑。德军遂长驱直入，围困巴黎。法国人民便起而革命，废除帝制，宣布第三共和国之成立。新政府虽有抵御的意思，可是因为法国工人阶级的势力日大，他们生怕政权为工人所夺，乃立即决定投降，与普鲁士订停战条约。结果法国割让亚尔沙斯

(Alsace)、罗伦(Lorraine)两省于普鲁士，并赔款二千兆佛郎，德国人须俟赔款还清之后，方允退出法境，法国人引以为奇耻，这便预伏着一九一四年欧洲大战的根基。

德意志帝国成立

普鲁士既战败法国，俾斯麦建设德意志帝国的希望便可以实现了。南部德国诸邦亦相率加入北部德国联邦之中。各邦协商的结果，乃将“北部德国联邦”易名为“德意志帝国”，而拥联邦的总统普鲁士王为德意志皇帝。威廉第一遂于一八七一年一月十八日在法国凡尔赛宫中上皇帝的尊号。于是四分五裂的德意志诸邦，遂告统一；而这雄视全世界的武备的“德意志帝国”，便宣告诞生了。

德意志的统一是由贵族俾斯麦自上而下来完成的。这即是说：资产阶级不能建设适应本身利益的德国，而由普鲁士王室替他们完成革命的任务。从此以后，完全由贵族掌握德国政权；但贵族却采用资产阶级的政策。资产阶级与贵族联合，便是德意志帝国政权的特征。

第三节　奥匈帝国的建设

奥匈联合

奥大利自被普鲁士战败以后，离德意志而独立。当一八六一年时，奥大利曾有统一国土，建设帝国的计划，因匈牙利人，波希米亚人，波兰人相率退出国会，事遂中止。一八六六年，奥大利既为普鲁士所败，极欲联络匈牙利以自保，于是两国共同立一个“协约”。奥大利皇帝约瑟夫（Francis Joseph）自认为两独立国的元首；两国各有宪法，各有国会，各有国务大臣。惟关于外交，宣战，媾和三事，则两国一致，如同一国。此外两国的海陆军，由两国共同指挥，币制，度量衡，及关税等，亦两国一致。此种国家的组织虽属新奇，而国力甚强，故能维持至几十年之久。

联合的组织

自这种联合的组织成立以后，凡两国共同的事，如外交，海陆军事，财政，都由奥大利皇帝派大臣担任。三大臣对于“两国国会联席会议”负责任。“联席会议”

以奥匈两国国会各选出代表六十人组织之。开会的地方，一年在奥京维也纳，一年在匈京布达佩斯（Budapest）。开会的时候，一用德语，一用匈牙利语，往返商酌，全赖文书，偶有异同，则合开议会以便取决，并没有什么详细的讨论。

新组织的缺陷

奥匈联合，相互间的困难问题得以解决，可以各趋于和平发展之途。然亦有组织上的缺陷，即在三种民族组成之帝国内，施行两族联合统治制度。德意志人种与匈牙利人种固然满足，而斯拉夫人则继续抱不平之感。奥匈帝国基础之不稳固，政治不能充分发挥民主精神，民族问题未能根本解决，实其最大原因。

第四节　法国第二帝国时代与巴黎公社

社会运动的背景

自欧洲一八四八年革命失败后，便进到整个反动时期。一八五一年——七一年是工商业资本家与封建贵族争斗渐渐削弱的时期，资本家在各方面都战胜了，封建贵族为保持其残余势力，便退让了；同时，也以蜕化的封建骷髅去参加新的经济生活——资本主义。因此，封建贵族便与新经济制度的统治者——资本家形影相随了。劳动者呢？受到一八四八——四九年惨酷的屠杀，损失了不少的精锐，但这究不能消灭未来的争斗，另一方面，一八五一——七一年的二十年间，以工商业的发展，市场的扩大，技术的进步，劳动者的经济生活，自然有相当的提高，然而这也不是说困苦已经解除。所以到了一八六〇年左右，社会运动又抬头了。第一国际于一八六六年九月在日内瓦成立。马克思的《资本论》（*Capital*）第一卷也出版，各国的社会运动，便汇合而成国际运动的巨涛。

第二帝国时代

法国一八五一年十二月二日的政变，使法兰西共和国的总统路易拿破仑，一变而为法国皇帝拿破仑第三，一直到一八七〇年为止，这二十年间称为第二帝国时代。从一八五二——六六年的第一阶段中，是拿破仑第三最兴盛的时期，战胜了俄奥两国，对外的胜利巩固了他的政权，在国内没有遇到任何反抗，法国的资本家与农民是极力拥护第二帝国的。但到一八六六年，帝国统治便发生了动摇，外交上的失利，工商业的衰落，使反对派的运动与骚乱乘之而起。工业资本家不满意于拿破仑第三的对英通商政策（自由通商）；大商业大财政资本家认为政府对外政策，没有受全法公民的委托；智识分子因为没有得到政治自由，又加以军队的苛待，侦探的摧残，所以反对更形激烈；劳动者的罢工运动，不待言，也是继长增高的。

国防政府

自从拿破仑第三在色丹一战被普军俘虏后，巴黎的劳动者一方面武装起来开赴战地抵抗普军的进攻，一方面和共和主义者联盟于九月四日宣布共和，组织临时政府，即所谓“国防政府”（Government of Public Defence）。很迅速的编制了三十万人的国民自卫军。不料法国资本家生怕劳动势力的扩大，急于与俾斯麦谈判，普国便极蛮横的要求割让亚尔沙斯、罗伦两省与巨大的赔款；于是巴黎的劳动者，极力主战，高呼“反对媾和，战争到底”等口号，反对资本家出卖法兰西的民族利益。他们以为只有继续对德宣战，才是拥护共和政治的出路。在一八七一年二月八日，一个负有停战媾和任务的国民会议选举出来了。被选的分子，只有两百名是拥护共和政体的人物，而帝制派的议员，则占有四百名的议席。全国各农业区域，在资本家与地主领导之下，不管付以任何的代价，都不愿战争。巴黎的劳动者则不顾如何重大的牺牲，主张继续宣战。以割让土地为换得和平的代价，是巴黎的劳动者绝对不能容忍之事。同年二月十三日，国民会议在波尔多（Bordeaux）地方召集开会，以五一六票对一〇七票批准媾和条约。而此主战的一〇七票当中，差不多有一半是巴黎劳动者的代表。

三月十八日的巴黎革命

各省的地主与资本家，始终和巴黎的劳动者处于对立的地位；国民会议对于巴黎的劳动者也始终表示非难。可怜那些勇敢的巴黎战士，为了保障法兰西民族利益的安全，忍受了五个月的长期血战，到了此时，还须受本国“同胞”的凌辱。国民会议与其所选举的行政首领梯尔（Thiers），更暗中计划解除巴黎的武装，夺取巴黎的自治权，使之丧失首都的地位。巴黎公社的武装暴动，即由这种局势底下酝酿而成的。一月二十八日在巴黎公布的普法和约，本载明法国方面应将巴黎市内法军所有的军用品，移交与普鲁士的军队。但是国民自卫军——巴黎的劳动者武装——的枪械大炮，一概除外，因为这些枪炮，非国家所有的武装，是由人民集资购备而来。但停战以后，政府开始密谋将这些民有的武器收为国有，借以解除国民自卫军中劳动者的武装。不幸三月十八日晚上那些被派去搬运劳动者武器的兵士，在场听了一番革命的演说，更掉转枪头，杀了两个统带军官和劳动者携手。自此时起，资本家的“共和政府”便迁到凡尔赛去了。巴黎就落到国民自卫军中央委员会控制之下。

巴黎公社的组织

现在再来说明巴黎公社的组织。巴黎公社将全巴黎市分成若干区，每区设有“工人评议会”，在全巴黎并设有“兵士代表会议”。同时劳动者所组成的“国民自卫军”，都有自己选举军官的权利，不受任何方面的利用。国民自卫军为统一巴黎市的武装指挥起见，乃先发起组织一个“临时中央委员会”。这个委员会经过三月初三日召集的代表会议通过之后，就取得了合法的地位。代表会议并规定委员会的人选，由全城二十区各推代表三名组织而成。三月十五日，“合法的中央委员会”正式成立。这个“中央委员会”，可以叫做兵士代表会议；因为所有的委员，都是由劳动者的武装——国民自卫军——选出来的。根据中央委员会的报告，三月十八那天，巴黎国民自卫军二六〇个部队当中，已有二一五个部队，隶属于中央委员会指挥之下。全巴黎的工人在这个时候，都在武装自卫中，兵士与工人是一而二，二而一的。因此，我们又可以把这个中央委员会当作一个联络工人评议会与兵士代表会议的中枢机关。不久，在人民选举的大会上，产生了“公社”的政权，为革命最高政权的组织，它既可以立法，又是行政机关，具备了“无产阶级专政”的雏型。

巴黎公社的自卫宣言

在巴黎公社统治之下，资本家与一切反动分子自然只有逃开他们所称的“野蛮的巴黎”，而请救于凡尔赛的共和政府。凡尔赛政府便开始捕杀巴黎公社中人，巴黎公社也开始以武力对待凡尔赛政府及潜匿于巴黎市内的反动分子。四月五日，公社正式发一篇宣言，内说：

> 民众虽在愤怒之中，然无时不以仁慈正直之心，反对一切野蛮的流血行为，与残暴的内乱。但是对于敌人的野蛮残杀，采取相当的自卫手段，乃为革命民众的义务。这虽然使民众感着莫大的困难，但民众始终须保守以眼报眼以齿对齿的原则。

在事实上，公社表现十分豁达的态度与正直的心肠，并没有实行“以眼报眼以齿对齿”的信条呢！

悲惨的结局

五月二十一日，凡尔赛的军队虽然开始进攻巴黎，巴黎的劳动者料不到他们竟公然实行进犯，事先没有集合准备，临时赴战，当然免不了失败；但他们仍然发挥民众武装的威力，与凡尔赛的器械精良的“虎狼”，恶斗了一个星期；这就是有名的“巴黎巷战”。在这次战争中，两方都非常的凶猛。结果，凡尔赛军队死伤七千六百人，公社军队死伤二万人，巴黎全为凡尔赛军队占领，复大施屠杀。单是被枪毙后掩埋于公共坟山的尸体已有一万七千具。其后所以停止屠杀，就是为了卫生起见，因死尸太多，发生腐臭，引起全城的传染病。从此，巴黎公社的重要分子，即幸免杀戮，不是被拘禁，就是被放逐，而法国的工人势力几乎从此消沉了二十年。

第三次共和国

自巴黎公社失败后，国民会议即讨论国体问题。共和党要求正式建设共和政治，正统党（帝制派）要求总统退职，意欲乘机复辟；奥尔良党（Orleans）要求总统任期延长至一八八〇年，以便从容布置己党的势力。结果，奥来安党胜利。至一八七五年，国会又讨论国体问题。一月二十九日，以一票的多数，议决成立共和政体，大总统应由上下两院合开的联席会选举之。法兰西第三次共和国，便宣告合法的成立了。

练习问题

（一）欧洲十九世纪中叶各国民族运动的经济背景是什么？

（二）比较德意两国统一运动的过程与其结果。

（三）民族战争与帝国主义战争有何区别？

（四）试述巴黎公社之历史的意义。

参考资料

（一）《近代欧洲政治史》第四章（商务印书馆）

（二）《欧洲近百年革命运动史》第二章（亚东图书馆）

（三）《西洋史要》第十二章第十四章（南强书局）

（四）Hayes：*A Political and Social History of Modern Europe*, Chap. XX

第九章　日本明治维新运动

第一节　西力东渐

日本的锁国政策

在十六世纪时，蓬勃而起的欧洲资本主义，以葡萄牙人为先驱而向印度问津，更进而向东洋发展。东洋与西洋的交通，于是一天天畅行无阻起来。可是日本从十世纪以还，还采取“锁国政策”，孤立于世界历史之大运动圈外，而为闭关自守的农业国。日本在当时只与荷兰相通。英俄两国的船只，虽曾向冬眠的日本数次叩关，然究不易打破锁国的迷梦。到了十八世纪，欧洲资本主义，如日方升，经营东洋，较前益急，英占印度，法侵安南，俄窥黑龙江，相继而起。欧洲资本主义的怒潮，便向日本周围奔腾澎湃。

日美缔约

在西方资本主义进逼之中，日本的大门无论如何也关不住。到一八五三年，义国的海军提督潘莱（Perry）率兵舰四只在浦贺进口，提出国书，要求通商。日本政府非常震骇，一班祈祷者则在庙内祈求神道；盼望这种不远万里而来的外国人早日死亡，但日本的神道，似乎不理这回事。其明年，潘莱又来要求答复，并带有更多的兵舰与大炮以为后盾。日本不得已，终于与美国缔结了《神奈川条约》，下田与函馆被开为通商港。一八五七年，又开江户，大阪，兵库，新泻四港。不久，其他国家也得到同样的权利。一八六〇年，俄国竟有占领对马岛而有久留之事。英国兵舰炮击下关及鹿儿岛一类的把戏亦相继发生了。

“攘夷论”与“开国论”

一般日本人以及封建贵族，大抵把外国人当作“野蛮民族”看待，他们以为这种民族，应从日本境内驱逐出去。于是“攘夷论”盛极一时。在一八六三年，有两个贵族实行攻击外国人。当欧美兵舰为惩戒这些仇视外人的贵族而轰击日本城市的时候，夜郎自大的日本军人，就觉到自己在外国的炮口之下屈服了。于是“开国论”便渐渐代替了“攘夷论”。这就是西力东渐必然的结果。

第二节　明治维新的背景

社会经济的转变

一般说来，日本封建制度的崩坏与资本主义社会秩序的确立，是以明治维新为一关键。在德川时代，其社会制度，虽是土地所有者依赖榨取农民而生存，然而商业资本已有相当发达（江户，大阪）；到德川末期，几乎一切诸侯如不仰这种商业资本的鼻息，就不能通融金钱，经济之实权渐次移至新兴的阶级——“町人阶级”手中。但当商业资本增加势力的时候，就觉得封建制度成了桎梏；且以全国为范围而发达的商业资本，及已经发达到要求全国市场的某种产业，已与封建制度之各种限制冲突，不得不向要求国民经济统一的方面进行。

另一方面，封建诸侯的经济，因随封建制度之烂熟而来的滥费以及依赖商业资本的结果，渐次化为穷乏，对其领土内的农民，其剥削益加残酷（所谓公七民三，即收获的十分之七为领土夺去），于是农民便起来反抗。到德川末期，所谓“百姓一揆”（农民暴动），即不断的发生，给封建制度以强烈的打击。又随着地方诸藩的穷乏，而下层武士的生活特别恶化，其中间的一部分，也开始改革运动。

倒幕运动

因各地方发展不平衡的结果，萨，长，土，肥等藩成为富强，其他地方则日趋贫弱，德川氏更为穷乏；诸藩之间形成尖锐的对立，强藩乃出而作推倒德川以移政权于自己掌握中的运动。所以，这些强藩之拥戴朝廷，是以先倒德川为主的一条共同战线。

日本封建制度既有从内部崩坏的趋势，而西方资本主义又来敲“锁国”之门，对这位不速之客——西方资本主义——的光临，应取如何的态度，就成为日本国内最大的政治问题了。关于这一问题所引起的纷歧，乃与国内支配阶级内部的对立相纠结，更促进这种对立，而使之深刻化。斗争的结局，德川幕府倒，而拥戴朝廷的萨，长，土，肥诸藩占了胜利。在倒幕运动中，有从各藩而来的下层武士参加，是不待说的。

新旧势力的妥协

共奏凯歌的诸藩，虽以朝廷为中心而取得政权，然仍不能维持其“日薄西山”的封建制度，所以不得不向其他社会形态推移。刚好这时候，国内已有比较发展的商业资本——特别是其中的某一部分（如三井，鸿池等）与倒幕派相结托，而某种产业又有要求全国市场的热望。于是，新成立的政权，为维持本身而使其强固起见，不得不适应当时社会的基本条件。在这种情形之下，新政权就从封建的形态向着资本主义的形态推移。

正因为如此，日本便成爱学时髦的学生一样，迅速的学会了欧洲的一切。从一八六〇年起，很敏捷的依照欧洲资本主义的模型，改组了政府，法律，与军事。不久，铁路，工厂，轮船……也在这个“古色古香”的扶桑三岛上出现了。

第三节　明治维新的性质

明治维新与资产阶级革命

明治维新，就其社会的性质与内容说，无疑的是资产阶级的革命。不过，明治维新与欧洲资产阶级革命比起来，颇有特殊的性质，这就是说，日本这次革命的领导者，不是像欧洲资产阶级一样的。在德川时代，虽有资本的蓄积，虽有为机械工业基础的家庭工业的发展，然以“町人阶级”的力量微弱，以致这次革命的领导者落到那些为预想资本主义制度确立而活动的武士阶级手中。这样一来，明治维新之彻底的革命性便丧失了。所以地主势力到今日还是残存，可是，说明治维新不是资产阶级革命也讲不通。因为明治维新乃是从镰仓以来，约亘八世纪，为日本社会之支配形态的封建制度，加以最后之一击。于是揭开了新资本主义社会之幕。

明治维新不彻底的原因

在明治维新前相争斗的两种势力，即幕府军与倒幕军，自然都是地主的势力，不像欧洲资产阶级革命一样，采取资产阶级与地主对抗的形式。幕府固然是大土地所有者，就是倒幕军的主人——如萨，长……诸藩之类，也是以大土地所有者为基础的地主势力。所以在明治维新后成立的藩阀政府，仍然带有很浓厚的地主政府之性质。话虽如此，然而维新以后，却实行了猛烈的保护政策，培养了早熟的日本资本主义的发展。何以地主政府要为与自己对立的资产阶级尽力呢？这应该从两方面来说明：第一，因为日本不能孤立于世界资本主义的圈外，为谋在经济上不做他国的殖民地起见，为谋在政治上保持民族独立起见，所以明治维新的地主政府不得不舍弃旧式封建生产及其支配形态，而创造资本主义的生产与统一国家的支配形态。第二，因为日本从封建制度的胎内发展出来的“町人阶级”，在经济上渐渐压倒日趋没落的封建经济，以致地主政府不能不屈服于新兴势力之前。

然而，在明治维新的过程中，资产阶级不能以独立的资格出来争斗，而靠地主势力来培养日本资本主义，这即是日本资产阶级革命不能彻底的理由，这即是日本的民主主义不能十分确立的理由。这种畸形的发展，其祸害一直流传到现在。目前日本的状况虽是资产阶级跳上政治舞台，但地主亦是政治舞台上的“平分春色”者。地主势力的残存，就决定反动的日本帝国主义的政治愈加走向反动之路。

第四节　明治维新的政治改革

改革的步骤

日本在一八六七年以前，是十足的封建国家，有不法的贵族，有豪暴的武士，有卑贱的佃奴。据传说日本帝国系第一世神武天皇于纪元前六六〇年所开创，万世一系，未曾改易姓号。不过，在过去数世纪内，天皇把地方政府的权落于贵族手中，又让一个主要的贵族——幕府（Shogun）来控制中央政府。到了西力东渐之际，幕府被迫通商，引起国内人民的攻击，幕府威严，从此扫地，到处废除幕府恢复皇权的运动，相继而起。所以明治维新的第一步，是废除幕府。一八六七年十月，将军上辞职书于天皇，天皇准之，此后幕府就公然取消，国家政权便回到天皇手里。第二步是废除封建制度。在一八六八年六月，实行人民土地由封建诸侯移归天皇统治，并从事于省政府的改组，由天皇任命省长主持各省政务。第三步是废除阶级特权。在一八七〇年，武士阶级已得到准许自由谋业，平民也可参与军民公务。可是到一八八四年，对于贵族，封建诸侯，又分别封给以下的爵号——公爵，侯爵，伯爵，子爵，男爵。一八八九年的宪法上面，竟规定这几个阶级有出席上议院的权利，似乎阶级特权又经恢复过来。

一八六八年的誓言

幕府倒后，建立起权力集中的新政府，当时已将旧的政治组织重新编制整理过，仿佛日本已成了欧罗巴式的资产阶级的统一国家。在一八六八年（明治元年）三月十四日，曾发表了所谓《五条御誓文》，甚至有人称为《日本大宪章》（*Japanese Magna Carta*）。其全文如下：

（一）广兴会议，万机决于公论。

（二）上下一心，以盛行经纶。

（三）文武一途，下及庶民，令各遂其志，

而使人心不倦。

（四）破除陋习，从天地之公道。

（五）求智识于世界，以振皇基。

一望而知是冠冕堂皇的大宣言。虽说相传这几条誓文有从各藩征召一定人员而行会议的意味，然而有欧罗巴式的资产阶级民主主义为基准，则是无疑的事。

但是明治维新的指导者不是纯粹的资产阶级势力，所以明治的政治改革不大彻底，或者也可说是半途而废。从一八八四年（明治七年）以后，明治政府竟化成了萨，长势力之藩阀政府，对民选议院运动以及其他民主主义运动施行猛力的压迫。

一八八九年的宪法

一八八一年十月十二日，政府明令公布定于一八九〇年召集国会。次年派伊藤博文赴西欧考察宪政。伊氏以英国制度过重民主，不适宜于日本，因此，他所研究的多系德国制度，以致日本宪法，大半从德国宪法脱胎而来。一八八九年二月十一日，伊氏所草宪法得天皇批准。规定天皇神圣不可侵犯；天皇为国之元首，总揽统治权；设贵族院与众议院；国务各大臣，辅弼天皇，而负责任……等等。第一次国会选举，于一八九〇年举行，同年十一月召集第一次国会。东方的日本，遂穿上了一件欧洲议会政治的外衣。

政党政治的雏型

日本议会政治始于一八九〇年，但政党却在前数年即已发生。最早的政党是一八八〇年沼间守一等所组织的自由党。后二年，又有河野大隈等所组织的进步党。这两个政党都主张“自由”与“改进”，不过前者更有急进的色彩。他们对藩阀政治与军国主义，加以极端的攻击。然到一八八一年下诏改设立宪政府之后，这种热烈的政治运动，就转变而努力于准备立宪的工作。第一次国会选举时，便产生十个政治小团体。不久，这些小团体遂合并而为四五个政党，自由党与进步党乃其中之最大者。在一八九五年中日战争以后，日本内阁大抵被一班藩阀政治家所把持，对国会不负责，各政党虽力加攻击，然终不能获得政权，徒使众议院迭受解散。以后伊藤内阁则实现其“弭争政策”，断然与众议院政党相联络。到一八九八年，自由进步两党令组为宪政党，该党领袖大隈出任内阁总理，即是日本第一次政党内阁。这并不是说，日本藩阀内阁从此绝迹，正相反，藩阀内阁与政党内阁更迭主政，在日本政治史延长了若干年。

第五节　明治维新的结果

走上资本主义之路

明治维新，使日本政治上展开了新的局面，在新的局面之下，把从前妨害资本主义发展的障碍，扫除了许多。明治政府采取猛烈的保护政策，促进已有萌芽的资本主义，走向“扶遥直上”之途。或设立制丝场，水泥制造所，活字制造场等模范工场，或派人参加外国的博览会；或派工人到法兰西等国学习技术；或输入机械；或雇佣外国工人；或开办从事工业教育的学校；或举办试验场等等，企图很快的赶上西方资本主义国家。在交通方面，则于一八七二年开始敷设东京横滨间的铁路，邮政制度也次第施行。在金融方面，则由明治政府发行所谓“太政官札”（一种纸币），为近代银行之滥觞的“为替会社”（汇兑公司）也设立了。同时，于一八七二年仿效美国的国立银行制度而颁布国立银行条例。总括一句话，日本侏儒在极短的时间内，居然依照欧洲资本主义的模型把自己改造过了。

劫掠中国以自肥

资本主义是必需国外市场与殖民地的。日本既走上资本主义之路，自然一定要步欧洲各资本主义国家的后尘，向外发展。可惜机缘不凑巧，在日本资本主义抬头的时候，全世界的市场与殖民地早已分割完竣，剩下的只有中国这块肥肉，所以日本向外发展的唯一对象，就是以劫掠中国为主。于是中国便成为日本资本主义发育的“温床”了。琉球，台湾，澎湖群岛，高丽……陆续不断的被“东洋鬼”的血口吞下去。甲午一战，更是日本“出风头”的大好机会，我们在《马关条约》的铁链之下，赔偿军费二万万两，允许日本在我国各通商口岸，设立工厂从事制造。这个柔弱的小孩子（日本资本主义）靠喝我们的血液，把身体养得一天胖似一天。

练习问题

（一）明治维新的经济基础是什么？

（二）明治维新与西欧资产阶级革命有何异同？

（三）有些人说，日本政权的性质是地主与资本家同盟，是否与事实相合？

（四）日本维新成功，我国维新失败，何故？

参考资料

（一）《物观日本史》（神州国光社）

（二）《日本历史大纲》（商务印书馆）

（三）Mclaren，W.W.：*A Political History of Japan During the Meiji Era*（1867–1912）

（四）Fujisawa, R.：*The Recent Aims and Political Development of Japan*

第十章　帝国主义时代

第一节　帝国主义的特质

资本主义发展中的新时代

十九世纪之末及二十世纪之初，欧洲生产力大为发展，已成了工业化。如果说一八四八年至一八七〇年间，是工业资本主义得着胜利的时代，则十九世纪末至二十世纪初之间就是资本主义发展中的一个新时代，即帝国主义时代。

帝国主义之发展分为两个时期：第一时期是十九世纪末叶；第二时期自一九〇〇年起，至一九一四年世界大战止。这两个时期在资本主义的发展中，除了彼此共同之点以外，更各自有其特点。

帝国主义的特质

帝国主义的特质有五：（一）生产及资本的集中达到极高程度，产生垄断的形式，这种形式对于经济生活有绝大的影响；（二）银行资本与工业资本混合，产生财政资本及工业资本的统治；（三）资本的输出，占有特别重大的作用；（四）国际的垄断组合瓜分了世界；（五）资本主义的列强之分割领土，已经完竣。

帝国主义是资本主义发展的最后阶段，所以又含有三个特点：（一）专利的资本主义；（二）衰落的或寄生的资本主义；（三）死亡的资本主义。

第二节　十九世纪下半期欧洲经济的发展

煤铁生产的增加

帝国主义时代的生产力，发展得极快，从煤，铁及其他重工业品生产的增加，可表示出来。

年份	石煤（单位十万法吨）	生铁（单位一千法吨）	熟铁（单位一千法吨）
1850 年	826	115,000	4,750
1875 年	2,830	——	14,119

续表

1880 年	3,442	437,410	——
1890 年	5,148	595,601	41,085
1900 年	9,404	1,170,963	54,804
1911 年	11,655	1,395,363	64,806

从上表看来，经过六十年间，煤的出产增加十四倍有奇，生铁则增加十二倍，热铁则增加十三倍。

铁路的发达

同时世界铁路线长度也增加了三十七倍，详见下表：

铁路线长度增加表（以启罗米突计算）

年份	1851 年	1871 年	1890 年	1900 年	1910 年
欧洲	23,504	104,914	223,864	283,525	333,848
美洲	15,064	93,139	331,417	402,171	526,332
亚洲	——	8,185	33,724	60,301	101,916
非洲	——	1,785	9,386	20,114	36,854
澳洲	——	1,765	18,889	24,014	31,014
总数	38,570	209,788	617,285	790,125	1,030,614

技术的进步

欧洲生产力发展所以这样迅速，是因为有不断的技术上发明与改良。汽机采用后的工业革命，及利用水力与汽油机的应用，实造成工业发展的基础。因技术的改善及进步，而机器自身的生产也扩大了。十九世纪之末，生产技术发展到最高点（尤其是在生产过程的机器化的一方面），致使机器替代人工。许多新发明的机器及工具，把以前多数独立的生产过程都联合起来而且机器化了。生产技术的发展及机器的进步，都靠在新的炼钢生产方法上。自一八七八年托马斯（Sidney G. Thomas）改良炼钢新法，可以直接在铁苗中提出纯钢，使生产界开一新生面，钢的价值降低几倍，激进了铁路轮船的建造，并发展了法国——特别是德国的钢铁工业。因此，十九世纪末至二十世纪初，工业的重心由纺织工业转移于钢铁工业。这种过程，不但发生于新资本主义的国家，就是素以纺织工业著称的英国也是如此。

在资本主义发展的道路上，走得最快的当推德国，除美国而外，比任何国家都要超过。一八八七年至一九一三年，德国所产的钢，比铁多四倍，而这个期间，铁的生产也增加百分之一千三百五十。电气方面，一八九一年全德国电气工人有二万六千人，至一九一三年则增至二十五万人。一八九一年，全德国电气化的地方有三十五处，至一九一三年则增至一万七千五百处。交通也非常进步，由一八七五年至一九一一年，乘客车辆的数目相差不多，但货车数目则增加两倍半。他如英国在一八九〇年至一九一一年，钢铁出产增加了一倍半，而法国则增加两倍有奇。

从自由竞争到垄断

随着资本主义的非常发展，资本主义本身结构也发生重大的变化。十九世纪中叶，欧洲资本主义的根基，是在于各企业间的自由竞争，也就是因为自由竞争才使资本主义的技术一天天的进步。结果，只有最善适应，组织最完备的企业才能继续生存，资产阶级的经济学者，以为企业间的自由竞争，是达到资本主义制度永远发展及永远改良的道路。殊不知自由竞争自有其一定的限度，一旦超过这个限度，便会走到相反的方面。

在各企业的竞争中，凡力量稍弱，没有最完善的技术及最多量的劳动力的企业，不能自存。此种现象，产生了生产集中，就是把一种工业部门集中于比较少数企业家手里。例如，德国在战前百分之十的电气工业的企业，其所据有电力及气力占全部四分之三以上，而其他百分之九十的企业，所占电力及气力不过全部百分之七，这些少数的企业，彼此要订定各种协约，规定共同的价格，及各自所出商品的数量和质量了。在德国的工业中，化学工业更有特别意义，它在世界市场上差不多是一个垄断者，没有别人能和它竞争。当一九〇五至一九〇八年时，德国化学工业已合并成两大化学工厂，这两大工厂就互相订定其生产品的价格，数量，与质量。这样，各企业间的竞争，往往由一个大资本主义的联合——托辣斯（Trust）——的垄断取而代之。别的工业部门中，在德国和其他资本主义国家也有这个托辣斯与新狄加（Syndicate）的形成，托辣斯的统治，是帝国主义时代资本主义经济特质之一。

银行作用的变迁与其势力的跃进

上述的现象——企业的广大，及垄断组织的形成，原来是由银行资本对于工业的作用有了特别的变迁而引起的。从前银行的作用就是借贷，给工业家以资本，使建设或改造工厂，由此得着相当利息。当时银行并不干涉生产的管理，银行与工业资本各自存在，不相侵犯。

至十九世纪之末，银行的金钱大大增加，大的银行更设分行以图扩充，不但吸收资本家的金钱，连农民，雇员，工人的小贮蓄也吸收起来。银行既有大宗款项，不但借债给工业家，并且开始自己建设企业了。从银行借款的企业所得的利润，一定比它所应付给银行的利息要来得多。所以银行就不仅想获得利息，并且想获得工业的利润，于是银行便兼作了企业的主人翁。

银行资本与工业资本混合，就叫做财政资本。上面说过德国化学工业垄断了全世界，当欧战时，法国因得不着德国化学品，于是巴黎银行集合一些资本，以建设自己的化学工业，因此，法国化学工业的主人翁便不是单独的个人，而是最大的一个银行了。大银行既排挤了小银行，再加上工业的利润，其入款更巨。现在银行的势力及其影响，与十九世纪中叶或以前的银行比较，不可同日而语了。所以帝国主义的时代，也称为财政资本时代。

从自由贸易到保护政策

财政资本的统治，使各国经济相互关系的性质发生变化。十九世纪中叶，特别是六十年代，欧洲各国都采用自由贸易制，就是各国都可以自由输送自己的工业品到别的国家去，各国原有进出口的关税，大半都取消了。所以各国间商品生产及交易的竞争，与各个工业家相互的竞争完全是一样。宣传国际自由贸易，以英国为最出力，英国之所以愿意自由通商，其原因至为简单，在这个时期，英国已成为一个“世界的工厂”，生产的发展超过各国。它不怕别人的竞争，且自由贸易于它最为有利，因为可以得着很多的市场，以销行它的工业品。

但自七十年代起，全欧洲渐转入保护政策，提高外货的入口税，使外国工业不能与本国竞争。一八七九年，保护关税政策开始实行于德国，至八十年代，俄，奥，法，意，美诸国也相继实行。结果，欧洲就分成几个互相争斗的民族资本。这些民族经济的国际斗争，不但用提高外货入口的关税方法，并且也用增加本国货出口的方法。出口货增加之所以能够实现，是因为资本家在本国有托辣斯的垄断，可提高自己所生产商品的价格，以剥削本国的消费者，由此剩下来的一部分商品，可以输出国外廉价售卖，俾能用竞争方法得到新的市场，这即是一般人所称的倾销（Dumping）。

资本发展突破国界

当然，拥护自由贸易的老国——英国——现在也想提高外货入口的关税了。一八九七年，英国殖民地大臣张伯伦（Chamberlain）提议，将美国及其殖民地联合成一个经济个体，其理由如下：英国的工业是很发展的，但缺乏食物与原料的供给，而这两种东西，在殖民地中却非常丰富，故英国与殖民地联合，可建立一个最大的经济独立的强国“大英吉利”，如此，英国可以输出制成的工业品给殖民地，而从殖民地输入食物及原料。然而张伯伦的理想终不能实现，因殖民地内部的资本主义已经渐次发展，企图脱离宗主国的政治的经济的依赖。德国帝国主义也不弱于英国，大战前天天梦想建立所谓“中欧洲”，以造成一个很大的经济的联合，包罗德，奥，保加利亚，塞尔维亚，土耳其诸国，这就是等于德帝国主义统治了由北海，波罗的海以至波斯湾一片广大土地。虽然这计划始终没有成功，但由这种计划的本身，也可以证明资本主义的发展已经突破了国界。

第三节　帝国主义与殖民政策

新旧殖民政策之差异

说到现在帝国主义的殖民政策，必须注意这种殖民政策和十七十八世纪初叶的殖民政策是显然不同的。十六世纪拥有大的殖民地的国家是西班牙与葡萄牙，十七世纪是荷兰与英国，到了十八世纪，这个重要位置乃为英法两国所占。君主独裁及封建贵族，是旧殖民地的本体，无论那里，只要封建贵族有了武力，就要大大的扩张国家的领土。旧殖民地政策，其目的只是掠夺当地的人民，在欧洲外的殖民地之上，用直接抢劫，奴役种种方法所获的财富，归到欧洲就变成资本。新的殖民政策，以为夺取殖民地的任务，是要把这些殖民地变作销货的市场及原料的源泉，与移殖资本的地方。非洲大陆之分割，便是欧战前殖民政策最好的例子。一八七六年，非洲只有十分之一的土地属于欧洲，一九〇〇年又分割百分之八十，后来为分割其余百分之十的领土，曾几次要激起世界大战。

非洲的分割

争夺非洲殖民地最厉害的是英国与法国。一八七〇年，英国买收苏彝士（Suez）运河股票（俄土战争，埃及总督因出兵援土，将苏彝士运河股票十七万六千张，以一亿佛郎卖与英国），占有这条自地中海通印度洋的水路，这对于英国之保护印度领土是必要的。然仅仅占有苏彝士运河，还不能完全保证，所以英国帝国主义者更想夺取埃及，埃及之占领，除了保障苏彝士运河外，英国资本家又可以在那里大种棉花。英国夺取埃及的企图，引起一八八二年在阿拉比（Arabi）指导之下的全埃及暴动，英国费了不少的气力才把暴动压服。按照一八八八年的运河条约，苏彝士运河已宣布为永久中立地，但管苏彝士运河的警察权，却在埃及手中，这样使英国完全夺取埃及后，则战争发生时，可监督苏彝士运河，甚至加以封锁。同时法国也占据突尼斯（Tunis）及其他许多西非洲的领土，想把西部埃及，和东苏丹（Sudan）打通，一八九八年，法人占领尼罗河上游的法绍达（Fashoda）一带，英国无论如何不愿意别人侵入埃及，所以拔去法人在该地所立的国旗，抗议法国这种行动，并威吓法国，倘若不依英国的要求，便和法国断绝外交关系。法国从此不再想占取新地，只求保有既得的领土。德国之夺取非洲殖民地，较英法为晚。自一八八四年至一八九〇年间，获得领地凡四大区（多哥兰［Togoland］等地），先是德人经营非洲甚力，很使英国感到不安，屡谋将德国领地据为己有。一八九〇年，英德二国又把东非洲领地重新分配，德国为着要得到军事上必要的耳郭兰（Helrgoland）岛，情愿把些很好的地方让给英国。此外，英国在南非洲也大有所获，英人在那里可自由行动，没有他国与之竞争。一八八四年，英人组织了南非洲公司，进行侵略，当时除却荷兰侨民蒲耳（Boer）人所建立的两个小共和国外，南非洲所有土地都落在英人手里。这两个小共和国，就是脱兰斯瓦尔（Transval）与奥伦治（Orange）。英国对于这两小国常施压迫，后来竟使这两小国奋起对英宣战，此种力量悬殊的战争，经过三年之久（一八九九年至一九〇二年），英人始败终胜，卒兼并了这两个小共和国，一九一〇年，英国遂建设南非洲联邦（South African Union），如同加拿大与澳洲一般。英国又想建筑从海角殖民地（Cape Colony）

直达开罗（Cairo）的铁路，以贯通非洲领地，成为一个经济单位。但这种计划若是实行，还得占取德国殖民地之一部分，这里就埋伏下英德冲突的根源。比利时自一八七六年就组织“国际非洲社”（African Association），以锐意经营刚果（Congo），一八八五年，卒合并该国。

亚洲的竞争

帝国主义者在亚洲的目标，不限于纯粹的殖民地，还有半殖民地足供他们侵掠。半殖民地，就是文明很古的国家，如土耳其，波斯，及中国皆是。当十八世纪中叶，英法两国都有根据地在印度，彼此不绝的发生冲突。其后法国想夺取暹罗，以为英属印度与法属安南间的缓冲地。但英国早预防法国，故在一八八六年合并缅甸，这事成为英法长时间冲突的原因，直到一八九六年，英法两国才划分势力范围，规定边界，但彼此在别处的冲突并不减轻。俄国自一八七九年起，力谋深入中央亚细亚，以备窥伺印度，大为英人所忌，便即声言不能忍受俄人之干涉阿富汗内政（阿富汗处英属印度与俄属中亚之间），两个常起冲突，一八八七年，英俄缔结条约，规定俄国与阿富汗边界，减弱了俄国在阿富汗的势力。但英俄因此而发生的冲突，终未得到解决。

窥伺中国与义和团暴动

其在远东，则国际的政局更形复杂，中国是帝国主义者最合口味的鱼肉，因此他们的利益就互相冲突起来。一八四二年（清道光二十二年），英国占据香港，以为侵略中国的根据地。此后各国就乘机而起，至一八九四年，亚洲帝国主义国家的日本也对中国实行侵略政策，中日之战，卒割台湾及辽东半岛，并赔款二百兆两（后来俄德法使日本交还辽东，增偿日本三十兆两）。一八九七年，德国借口两个教士之被杀，强取胶州湾，要求租借该地，及敷设铁路开采矿山等权利。跟着俄国就借旅顺大连，英国租借威海卫。俄国并于一八九六年得有建筑中东路之权。此时在中国酝酿已久的排欧民族运动，一发而为义和团暴动，一九〇〇年六月二十日，德国公使为北京义和团所杀，并围攻各国使馆及天主教堂。八月，各国联军大掠北京，清帝及皇太后遁走西安，派李鸿章与各国媾和，偿赔款四百五十兆两。一九〇四年二月五日，日俄帝国主义者因在中国利益冲突，遂致宣战，结果使俄国在远东种种政策完全破坏，把辽东半岛，旅顺，朝鲜的权利让于日本，并割让库页岛之南半部。这一次战争，俄国因舰队覆灭，及陆军之损折，就把强国的资格取消了。

小亚细亚的角逐

这件事却促成了英俄协约（一九〇六年），加紧了俄德的冲突。德帝国主义者明知英国是自己劲敌，但绝不停止其侵略亚洲土耳其的政策。德国欲建筑巴格达（Bagdad）铁路（起于汉堡，经柏林，维也纳，君士坦丁，直达波斯湾），终为英国所阻，德国竭力想和英俄两国缔结协定，以完成这个伟大工程，使德国资本家能开发小亚细亚的富源。然最困难的问题，就是怎样从巴格达通到波斯湾问题，占据科维特（Koweit）的英国，老早就在土耳其得到自巴格达至波斯湾的铁路敷设权，想把巴格达铁路最终的一段拿在自己手中。其后英国乘土耳其在一九一二年至一九一三年的危难（巴尔干战争），强使土耳其答应巴格达铁路的终点在巴索拉（Basra），而巴索拉至科维特一段路线，由英国用自己的钱建筑。

后起之秀的美国

美国是列强中实行帝国主义政策最晚的国家，他眼见殖民地都被老前辈帝国主义国家分割完了，于是采取一种比较温柔的平和政策，避免与殖民地人民公然冲突及残酷的压迫。所以就在中国倡言“门户开放”“不干涉中国内政”种种政策，实际上美帝国主义和英日及其他国家的帝国主义，都一样是贪暴无餍的。

第四节　资本输出与军国主义

资本输出

欧洲诸国把殖民地及半殖民地看做各种原料的发源地，及销货，投资的市场。自采行保护关税政策之后，各国间运输货物发生障碍，而一个国内的市场，已经不能满足那超过国家范围的资本主义了。资本在国内既找不到很大利润的地方，故以金钱的形式移到殖民地，在那里建立许多殖民地的企业，如工厂，铁路等。试举一个例来看，法国于一九一二年输出的资本有三五〇万佛郎，其他各国输出的外资也相差不远。当十九世纪之末和二十世纪之初，这种资本的输出，是最新帝国主义时代的产物。资本输出在列强的政策上有极大作用，为着争夺民族投资地而常常引起战争，这是国际政治上一个很重要的原素。

军国主义之由来

帝国主义时代，殖民地政策既迅速发展，自然就需要强有力的政府以保护殖民地，同时也保护本国。十九世纪最后二十五年间及二十世纪初期，各国武装的力量力求增加，就是这个缘故，所以跟着帝国主义发展而来的，便是它的同伴——军国主义。

各国扩大军备

普法战争后，法国无时不抱复仇之念，早已倾心于军国主义。又因为要弥补亚尔萨斯，洛林两州的损失，便跳进世界冒险事业的政治旋涡中，以和英国竞争，但是这些企图，非有强大的海陆军力，不能成功，所以在八十年代开始，就改组陆军。据一九一四年三月十四日的法令，法国陆军应有七六九〇〇〇人，与一八七二年的三七八八〇二人比较起来，已增加两倍之多，若再加上殖民地的军队（由各该殖民地土人组成的，也有数万人），更不止此数。因海陆军备的扩充，国家费用也大为增加，一九一〇年，法国军费占国家预算全部的百分之三十二，大战开始时更增至百分之三十八。英国军费比法国增加更速，一八九七年，英国军费占全部预算案的百分之三十九，而一九〇九年则增加到百分之四十二。倘若用绝对的数量计算，则美国军费于一八八五年至一九一一年，竟增加了两倍半。德国对于这方面也是不甘落后的，少年德国资本主义，走上世界市场较人为晚，当然要仗着武力以求锐进，于是海陆军备都大加扩张。一八九七——九八年，德国开始它那军舰大建造的计划，至一九〇〇年这计划已扩大两倍。自一八八一年至一九一〇年，德国军费从五六〇〇〇〇〇〇〇〇佛郎增至一一七〇〇〇〇〇〇〇〇佛郎，即是增加了两倍有奇。

钢铁主义与军国主义的关系

军国主义固与帝国主义有密切关系，然军国主义的发展，不但为国家的侵略政策所决定，而金属工业，煤，特别是钢铁，也占重要的地位。钢铁是军国主义的营养品，战争及军队之给养，于钢铁工业的发展最为有利。英法德的军械厂，简直不知有国家界限，在他们看来，武装祖国，与武装其他国家，并没有什么分别。

第五节　三国同盟与三国协约

英德备战

十九世纪末二十世纪初，欧洲经济的发展，使德国变成最强大的资本主义国家之一，而法国却一天天退于二等国的地位，这因为它的经济发展缓慢，人口增加率停顿，及军费过重所致。于是欧洲各国之居世界舞台中心者，一方面是老年的殖民国——英国，一方面是少年资本主义的德国。这两个国家的利益，在任何地方都发生冲突，因此，它们各自开始联合各国以准备互相斗争；两国的备战，成为欧洲最重要的事情，致帝国主义的国家也就分成两派。

三国同盟与三国协约

一八七九年，德奥开始联盟。至一八八二年再加入意大利（意大利因非洲殖民地的利害关系，和法国冲突，故与德国联合），这就是近世有名的“三国同盟”。另一方面也产生英法俄“三国协约”。自一七八九年法兰西大革命以来，英法已成世仇，普法战争后，法国实行殖民地政策，与英国常起冲突，几至破裂，但从一九〇一年起，两国开始接近，一九〇四年，因划分非洲势力范围，英法常缔结秘密协约，根据这个协约，英在埃及，法在摩洛哥（Morocco），皆可以自由行动，两国纠纷遂得解决。至于英俄二国，其始为土耳其问题，及在波斯，阿富汗，与中国的利害冲突，也有不好的关系。后来因在亚洲势力范围已分配，就改变了。日俄战争后，英国之视俄国，没有从前那样可怕，一九〇七年，俄国也就加入英法的“友谊的协约”，造成第二个帝国主义国家的联合。

第六节　一九一四年大战的必然性

大战的先导

从上面所述两大帝国主义国家的同盟与协约的事实，就可看出这次大战只是英法的重工业反对德国的重工业的战争，所有欧洲外交家重工业的代表者与军事专家的努力，总是要把欧洲推进历史上从来未有的惨酷命运之中。在这两大帝国主义国家营垒间作决死战之先，曾有许多二等国家间的小冲突（这些小国背后，各自站着它们帝国主义的保护者），而尤以一九一二——一三年的巴尔干（Palkan）半岛各国的战争最为显著。这就是一九一四年世界大战的先导，也可以说是一种事前的尝试。

大战的意义

所以随着那些冲突而来的世界战争，并不是什么可恶的意外，也不是某一个欧洲国家的错误，而完全是欧洲历史在一定时期内必然产生的结果。闷塞在国家内的欧洲资本主义，原想从并吞其弱小的邻居的过程中，以拔求出路，而结果却找到战争。他们以为只要战争获得全胜之后，便可实现帝国主义的理想，可是这一点即使在最强大的帝国主义的国家，也是难以达到的。这次世界大战，分明表露出资本主义衰落的过程，指示资本主义关系破灭。

练习问题

（一）帝国主义的特质是什么？试举事实说明之。

（二）帝国主义何以需要殖民地?

（三）军国主义何以成为帝国主义不可缺少的同伴?

（四）试述帝国主义发展不平衡与大战必然性的关系。

参考资料

（一）《欧洲近百年革命运动史》第三第四两章（亚东图书馆）

（二）Lenin：*Imperialism*

（三）Bucharin：*Imperialism and World Economy*

第十一章　俄罗斯一九〇五年的革命与立宪运动

第一节　一九〇五年的革命

日俄战争引起国内骚动

一九〇四——五年的日俄战争，促成俄国改革运动的机运。俄政府之所以急于停战讲和而接受玻兹玛斯（Portsmouth）和约，一方面固然由于战败，而另一主要原因，则为国内的革命运动发生，沙皇政府全部构造大有倾覆之势。罗曼诺夫（Romanoff）皇室依武力，依侦探制度，依专横的逮捕，秘密的审讯及向西伯利亚方面的流放等等恐怖手段以拥护之制度，惟在俄国平和无事之时始能维持，今则政府对远东的战争，既因师出无名，不能引起一般民众的爱国热，而又以战事消耗民众的金钱生命，增加社会秩序的不安；加之战时行政暴露官僚的腐化与无能，更引起民众轻视政府之心及推翻现状之念，如果俄军能获一大战胜，容或可以维持政府的威权，镇压内部的反侧。然而一旦海陆之败报频来，民情剧变，都市工人中之急进分子与乡村之急进的农民乃至上流阶级之自由主义派，以及一切受压制的异族或异教人民，——波兰人，芬兰人，犹太人等——皆起而攻击统治者，政府虽谋抵抗而势不得不手忙脚乱起来。

暗杀与红星期日

在一九〇四年七月，俄国素以善于压制著名的重臣——普芮夫（Plehve）惨死于革命党炸弹之下，次年二月，俄皇的叔父，有名的反动首领沙吉大公（Grand Duke Serge）在莫斯科被暗杀；以后重要官吏之遭暗杀，亦成为家常便饭。在各大都市中，工人总罢工，当战事紧急的关头，总罢工足以使政府破胆。在乡村中，则狂怒的农民起而驱逐贵族地主，焚其屋宇，分其土地，正如一世纪以前法兰西的农人一样，国内有些地方，铁路难于运转；在波兰及高加索地方，则有武装的暴动发生，调派军队前往方能打平。一九〇五年一月二十二日圣彼得堡一群罢工的工人受一教士的领导，游行向俄皇提出请愿书，途中遭军队射击，发生流血惨案，死伤十余人，以此引起全国的激昂。而发生惨案的日期取得红星期日（Red Sunday）之名称，在俄罗斯历史上留下悲惨的纪念。

第二节　革命失败后的立宪运动

沙皇政府的让步

在此全国骚动的危机中，上流阶级的自由主义者，亦起而要求改革；实则在一九〇四年十一月，地方议会之重要人物已经依非公式的集会，向俄皇请愿改革政治制度，而提议保障个人自由，扩张地方自治，树立国民代表议会，俄皇最初于一九〇四年十二月只应允少数不关重要的改革，及见革命运动气势增长，乃渐渐表示让步。下令容许异教，允许使用波兰语言，宽待犹太人；芬兰的宪法恢复，俄罗斯农人的欠租取消。对于召集国民议会之要求，俄皇亦卒不能漠视。他于一九〇五年八月，颁布一宪法，规定设立一帝国国会（Imperial

Duma）以协赞立法，随后他免黜反动派的诸大臣，而召财政专家威特（Witte）为俄帝国新制度下的第一任首相；同年十月三十日发布其有名的改革宣言。所谓“十月宣言”（The October Manifesto）包含言论，信教，结社自由之保障；设立民选的国会，确定国会对立法之协赞权。一九〇五年十二月颁布敕令，实际赋予普通选举，一九〇六年三月又下敕令，规定两院制的国民立法机关，将“国会”（Duma）作为下院；而将旧日的“参政院”（Council of State）变成上院，冠以“帝国参议会”（Council of the Empire）之名称，其议员半数由皇帝任命，半数由指定的特权阶级依间接的方法选举。

十月党与立宪民主党

一九〇五年的改革，使俄国入于十九世纪立宪国家之列。然而此等改革，是在政府危难时期产生出来，官僚及多数上流阶级自始即反对。而急进党人则尚觉他们的目的还未达到，将图谋更重要的根本改革。自由党人分为两派。保守的一派，称为“十月党”（The Octoberists）者，主代表地方议会势力，接受所谓《十月宣言》）的纲领，认为满足；他们赞成以国会限制独裁权力，而不赞成以国会完全代替独裁政治。其中比较开明的一派，称为立宪民主党（Constitutional Democrats，简称为 Cadets）者，则不满意俄皇下的敕令，要求第一次国会制定一种宪法，给予俄国以完全民主的议会，此项议会应具有最高立法权而能完全支配君主及国务大臣；质言之，即要求一个立宪的议会政治，类似英法式之政治。

旧势力活动下之反动政局

及至一九〇六年，政治形势又呈逆转之象。革命潮流似乎已消耗其主力，而渐次低落，改革运动的各派内部已渐分化，而缺乏行动的一致。且一九〇五年九月十五日日俄和约成立之后，长期的战争结束，俄政府既除去对外的困难，在内又可移其兵力以镇压反对党，反对改革的贵族，大地主及其他反动派人士，随即联合起来。他们组成全俄人民同盟（Union of the Russian People），公然拥护旧制；他们依武装的徒党，所谓黑杀队（Black Band of Black Hundles）者，开始攻击急进党人，而谋推翻以前的改革，在此种情势之下俄皇亦乐得从一九〇五年采定之立宪轨道渐开倒车。俄皇开始削除赋予国会之权力，在一九〇六年三月之敕令中，他声明帝国的根本法不在国会权限内；宣布陆军，海军及外交政策完全属于皇帝的大权；承认国务大臣在国会闭会中有发布临时法规之权；保留借债之权于财政大臣；而且规定如值国会不通过预算案，政府得适用上年度的预算，最后，俄皇于一九〇六年四月罢免开明的威特，而任命一守旧的戈芮米金（Goremikyin）继任首相，依上项敕令削除之结果，国会的权力已经很小，然而凭此权力很小之国会，亦不能终其职。第一次国会于一九〇六年五月集会；它不能监督政府，而于两日间苦斗之后，在七月中被解散，俄国的宪政，自始即受统治阶级的摧残。

第三节　从第一届国会到第四届国会

俄国的政治，仍直是君主保有大权，官僚秉政而已。不过假设俄皇及其他统治阶级，有诚意维持既存的改革，徐图改善，俄国的立宪政治，容或可以渐次演进，无如俄皇并此假立宪局面亦无诚意实行，继续维持反动政策，其结果演成国会与政府的冲突，而温和的立宪失败。

第一届国会与政府的冲突

第一届国会于一九〇六年五月十日集会，此届国会的组成分子，从教派上说，则属于希腊教者约居百分之八十，属于罗马旧教者居百分之十四，而属于新教及回教者只占三分，属于犹太教者占二分余。从社会阶级上说，农民居全数百分之四十八，贵族居百分之三十六，中等阶级居少数，农民在国会中人数之多，为一极可注意之事。政府官僚原以为文盲而好迷信的农民，可恃为人民中保守的拥护君主独裁政治分子，而事实与他们的预期相反。以多年受贫苦的压迫及税吏与警察的诛求，农人已渐对于政府抱怨，而在国会中并不尊重皇帝权力。从党派色彩上说，自由主义的“立宪民主派”（议员数一五三）及主张土地改革之社会党（议员数一〇七）占多数。拥护政府之保守党居少数。第一届国会在立宪民主党领导之下，对于政府开始反对；他们要求责任内阁，主张征收大地主的土地分给农民，国会方议决征收土地之案，政府突然宣布解散国会以对待之（一九〇六年七月二十一日）。立宪民主党大部分不肯承认政府解散国会，移往芬兰开会，对国民发表宣言，檄令人民拒绝纳税及服兵役。但此项举动在国内不发生大反响，而参加者受严重处罚，被剥夺选举权。

第二届国会与政府的冲突

第二届国会的选举，依第一届选举方法，于一九〇七年举行；虽以政府的干涉选举，反对党仍能在国会中占多数。不过立宪民主党因为在第一届国会解散后受政府的打击，在新国会中议员数大减（不满百人）；而代表工人阶级的社会民主工党在第一届国会选举时拒绝参加，此次则参加选举。其结果则两个社会党争得多数议席，而第二届国会较之第一届国会更为急进，但新加入者之中亦有更坚决的反动分子。第二届国会于一九〇七年三月五日开会，国会的多数与政府仍是相持不下。国会要求没收大地主的土地及保障责任政府，而不以新首相斯脱芮宾（Stolypin，于一九〇六年七月继任首相者）

之提议改革农村公社（Mir）为满足，尤其社会民主工党，攻击政府最猛烈。政府为消除反对分子起见，要求国会对于有谋叛嫌疑之社会党议员五十五人撤消议员特权，许政府拘捕，国会拒绝此项要求，于是俄皇又下令解散第二届国会（一九〇七年六月十六日）；此届国会的寿命不满百日。

政府改革选举法

然而此次事变，其效果尚不止于议会之改选，且根本涉及制度的变更，俄皇虽然预备召集第三届国会，但为在下届国会造出政府党多数计，乃以一道命令，更改选举法；此则违反一九〇五年之根本法，侵犯国会立法权，质言之，即为违宪的行为，所以有一俄国的著作家说：一九〇五年十月日本给俄人的宪法，在一九〇七年六月，此宪法被俄皇撤消，六月十六日发布的新选举法，目的在选出一顺从政府，甘为官僚的工具之国会。此选举法包含两个大原则：（一）务减少非俄罗斯的及非希腊教的分子至于最少限度；（二）增加大地主之代表，而减少都市住民，工人农人的代表。为实现第一个原则，中央亚细亚诸省的代表完全撤消；波兰高加索及西伯利亚诸地域之代表员额则大减削（由八九员减至三九员）；而第二个原则，则以一极复杂而不平等的阶级代表之方法以实现之。

第三届国会成为政府的附属品

新选举法实施后，适如俄皇及其大臣所期望的，第三届国会于一九〇七年十月选出，其结果特权阶级制胜，新国会分子，包含二二〇个贵族，四六个僧侣，四二个商人，九四个农人或工人。多数属于政府党（十月党及保守党）；而反对党降为少数，立宪民主党减至五四员。国会的多数安于现状，自认国会为一种谘议机关，不积极反抗政府，因之得安然终其五年的法定任期（一九一二年六月）。在此时期中，政府提出许多法案，容易通过（一九〇六年的农村改革令亦被追认），而军备扩张的经费，亦于此时大增加；大斯拉夫主义运动，又依国会之赞助而增长声势。在反对方面，立宪民主党人数已大减，虽然仍受有名的蜜里可夫（Miliukov）教授的领导，却已改采温和的态度。惟有少数的社会民主工党尚继续公然反对政府，但力量甚微，所以俄国名虽立宪，而皇帝及官僚可以自由执行其反动政策。

第四届国会与第三届国会之差别

第四届国会于一九一二年平和的空气中选出，其政治色彩与第三届国会无大差异，不过自由党分子稍有增加耳。中央之十月党在国会中有举足轻重之势；他们与左方各党连合，选出十月党之领袖那全珂（Radzianko）为议长，而此新议长公然演说，主张依一九〇五年十月之宣言，实行代议的立宪政治，实为大可注意之。事实则俄国自第三届国会以来，国会成为政府的工具，立宪徒有其名，然有此民选的议会的存在，究竟供给了人民代表一个论坛，使他们可以公然发表意见，唤起国民对于政治弊恶的注意。

总之：从第一届国会到第四届国会，是俄罗斯虚伪的宪政时期，统治阶级受了一九〇五年革命的恐怖，故采用这种粉饰太平欺骗民众的手段，以挽救垂危的命运。果然把罗曼诺夫皇室的残喘，一直维持到一九一七年。

练习问题

（一）日俄战争与一九五〇年的革命有何关系？

（二）一九〇五年革命失败的原因何在？

（三）斯托芮宾的改革有何意义？

（四）估计俄国立宪运动的成绩。

参考资料

（一）《近代欧洲政治史》第六章（商务印书馆）

（二）《俄罗斯革命史》（商务印书馆）

（三）Guest：*The New Russia*

（四）Alexinsky：*Modern Russia*

第十二章　一九一四——一八年的世界大战

第一节　世界大战的前后

大战是历史的必然

一九一四年七月，世界大战开始；其经过的猛烈，虽然不是绝后，却可算得空前。一般人在这次战事发生后，目睹各方军队人数的众多，所用杀人利器的恶毒，以及其影响于世界的重大，大抵交相骇诧，以为是出人意料之外。实则此次世界大战，决不是偶然的；国际帝国主义发展至某一阶段，由冲突而开战，本是历史的必然。兹当叙述世界大战之先，特将大战前夜的国际形势，撮要分述如次。

利害冲突与军备竞争

世界大战爆发以前，欧洲列强之间原有许多冲突；法国与德国，因为亚尔沙斯，罗伦两州的割让，积怨甚深；俄国与奥国，因为在巴尔干半岛的利害不一致，敌视日显；而尤其重要的，则是德意志帝国的世界的政策，挥起了大英帝国不共戴天的妒忌。彼此积不相能，军备竞争遂起。一方有俄、法、德、奥、意的极力扩张陆军，同时又有英国与德国在作海军的比赛。据专家统计，在大战之初，英、法、俄、德、奥、意六国海陆军现役人数，共达四百二十五万人，每年军费在三十六万万元左右，占它们全收入的百分之三十。暗斗之剧，可以想见。

国际和平运动

在军备竞争当中，他方面有起而对抗之者，是即国际和平运动，自十九世纪后半期以来，民主势力渐形发达，对于日增不已的军备负担，到处有抗议之声。一时国际主义，人道主义，渐影响于世界的舆论，使各国承认有相约减缩军备，及和平处决争议的必要。最后一八九九年五月，俄皇尼古拉鉴于时势，发起国际会议于荷兰的海牙（Hague），以讨论裁减军备问题，是第一次海牙会议。在会议中，俄国提议五年以内不增加军队或军事预算，而以德代表的反对归于打消，结果仅得通过一项希望限制军费的空洞决议案。不过在他方面，海牙会议立有陆战规例，稍减战祸痛苦，并创立一常设仲裁法庭，以为处理国际争议的机关，乃属差强人意之事。后至一九〇六年四月，俄皇再度发起国际会议，以一九〇七年五月集会于海牙，是为第二次海牙会议。在此次会议中，虽然成就有改良战争法规，扩充国际争议平和解决方法，及创立国际捕获审检所等立法事业，然而对于军备减缩运动的决议，则其失败仍与第一次同。帝国主义政府所谓国际和平，原不过装装幌子而已。

英国妥协运动

在一九〇七年海牙会议以后，英德竞争日烈，各竭全力从事海军扩充计划。在此等激烈的竞争当中，双方亦曾有过妥协的企图。一九一二年二月，英国派特使赴柏林，与德国磋商彼此妥协条件。德政府提议英德缔一彼此不相攻击之约，而在一方与第三国开战时，缔约国的他方须守友谊的中立。英国对此，不肯承受无条件的中立义务，而表示只在德国出于“非挑拨的攻击”时始承受之，英国附此条件，德国不能满足。此次妥协运动，遂无结果而罢。后至一九一三年三月，英国海军大臣对于英国海军政策发表郑重的宣言，以期中止英德两国海军的竞争。他说，如在任何一年，德国海军造舰计划减缩或取消，英国计划亦当自动的减缩或取消。如是，则德国可减迟造舰速率，减少海军经费，至其海军势力与英国势力的比例，仍全如故。不意德国对此，竟尔置之不理。这种妥协运动本是无诚意的，无非借此欺骗人民，把战争责任卸在他国身上。

近东危机与战争准备

在武装和平的局面下，列强之间关系日恶。世界大战随时皆有爆发的可能，而近东的危机更有以促成之。自一九一三年第二次巴尔干战争结束，国际政局发生重大的变化。亲俄的塞尔维亚日益强大，大斯拉夫主义的势力同时高涨起来，此不仅破坏了奥大利在巴尔干半岛的优势，而且于德意志的东进政策，于德意志的巴格达铁路计划，给以根本的障碍。一九一三年，许多德国人宣言，如果德国欲免于俄国及大斯拉夫主义侵逼的危险，惟有忍受牺牲，大增军备。德国议会随即通过巨额的非常经费，以为扩充军备之用；陆军常备兵额，新增十七万人。德国此种行动，引起了法俄两国的反响，法国于同年间，由白利安（Briand）内阁提出三年兵役案，而继任的巴道（Barthou）内阁随即执行之，俄国于一九一四年春季，由国会通过巨额的军费，每年征兵新增十三万五千人。各国这样决心备战，只待稍有变动，即当正式动员。

第二节　如火燎原的大战

塞拉耶孚事件

一九一四年，奥国皇嗣被刺，为此次世界大战的导火线；被刺的地点在塞拉耶孚（Serajevo），后即称为塞拉耶孚事件。奥国皇嗣斐迪南（Francis Ferdinand），为奥皇约瑟夫（Francis Joseph）之侄；约瑟夫年已老迈，国事多委斐迪南代行。斐迪南年富力强，野心方盛，一面革新军政，一面结托德皇，侵略成绩，亦颇不恶。一九〇八年奥国合并波黑西州，树立在巴尔干半岛的优势，便是他的得意之作。塞尔维亚人以其妨碍本身发展，对之怀恨甚深。一九一四年六月，斐迪南赴波斯尼亚首府塞拉耶孚阅兵，不意即于是月二十八日为一塞籍青年布林齐普（Prinzip）所袭，连发三枪，两中要害，斐迪南及其妃先后毙命，斐迪南死耗传达奥都，维也纳政府愤激万状，而讯问凶手的结果，塞尔维亚政府处于重大嫌疑地位，一时形势愈趋严重。奥政府的大多数，决计利用这个机会，以行使其久已准备了的一举而灭塞尔维亚的政策。奥皇约瑟夫本人，致书于德皇恳求援助；他说，塞拉耶孚事件，为俄罗斯及塞尔维亚的大斯拉夫主义者运动的结果，他们唯一的目的，在破坏奥匈帝国而减弱三国同盟的实力。德皇于七月五日接到此书，当即表示德国愿以全力助之，而劝奥大利对塞尔维亚从速动作。事势至此，战争遂不可避免了。

奥塞宣战

维也纳政府接到柏林政府表示援助的回答以后，即于七月七日及十九日两开御前会议，决定提出极端要求，务使塞尔维亚不能承认。七月二十三日，奥大利对塞尔维亚提出最后通牒，包含要求条件十项，限定四十八小时内答复。在最后通牒中，其主要的条款如次：（一）塞尔维亚政府当禁止一切登载排奥言论，与危害奥国安全的出版物。（二）解散大塞尔维亚主义者组织的团体（Narodna Odbrana）；此后如有同性质的团体发生，塞政府当一律禁止之。（三）从学校中，屏除一切养成排奥宣传运动的教育。（四）凡有参加排奥运动嫌疑的官吏，一律免职，并许由奥大利随时指出此等官吏的姓名。（五）塞尔维亚对于调查禁制排奥阴谋的处理，承认奥政府派员参加。（六）关于塞拉耶孚的暗杀事件，塞尔维亚承认奥政府派员参与司法的检举。以上所述，要求苛刻，而以后两条为尤甚。英国外务大臣葛累（Grey）读此通牒时，即宣称对一独立国家提出的文件，他从未见过有如此的予人难堪者。但塞尔维亚为委曲求全计，究竟大致承诺，仅对最后两条附有保留而已。在七月二十五日的复牒中，塞政府说，塞尔维亚只能在适合国际法原则，刑事诉讼法规，以及善邻关系的限度内，承认奥国派员参加禁止排奥运动的处理，至关于处理暗杀事件的司法程序，则奥国的参加为不可能，不过塞尔维亚允将审问结果，通知奥国官吏。塞尔维亚复牒送达奥国驻塞公使后，奥使基于维也纳政府主战的预定，仅以四十分钟短时间的审查，即宣告不满足，继则下旗归国，表示外交关系的决裂。七月二十八日，奥国对塞正式宣战；世界大战的第一朵火花，终于开始爆发了。

俄奥宣战

在最后通牒送交塞国的翌日，奥国曾将全文录告各国，并于其后附识一语，谢绝各国调停，质言之，即不愿各国有援助塞尔维亚的举动。同日，德政府亦致各国一长牒，谓此事宜听奥塞两国自行解决；否则列强各有同盟的协约的关系，一旦牵动起来，前途不堪设想。但在各国政府，岂是德奥一手所能控制！协约国方面，起而反对同盟国的行动，是可以逆料的，而以俄国尤为急切。在当时，奥国固决计打倒塞尔维亚，而俄国亦决计以实力援助之，在七月二十八日奥塞宣战的消息到达圣彼得堡后，俄政府即于二十九日在与奥接壤的三军区下动员令，三十一日，双方下总动员令，八月六日，奥俄宣战。

德俄宣战

当奥塞尚未正式宣战之先，英国外务大臣葛累曾两度从事于和平运动，提议由英德法意四国出任调停，但均为德人所婉拒。在德人的说辞，以为按照国际仲裁惯例，须由当事国自行声请，今既未请，何须多事？于是英国提议，遂被搁置。七月三十日，俄国对德奥两方面下总动员令，德亦实际动员了。但于同日夜半，向俄政府提出最后通牒，限令于十二小时内解除总动员令；八月一日，德政府于预定时间内未得俄国答复，正式对俄宣战，德国既经发动，和平乃真绝望了。

德法宣战

一八九三年以来，俄法即有同盟关系，而其共同的目标为德意志，现在俄德关系既然破裂，法国自然不能避免战争。七月三十一日德国动员，系在国境的东西两方同时举行；法国为防危险计，亦于八月一日下动员令，八月二日，德军侵入法境；三日，德法宣战，欧洲大陆遂全为战云所笼罩了。

德英宣战

对俄对法的战事，原在德国预定计划之内，但对英的战事，则德国确欲设法避免之，德国继续发展其世界政策，对英战事固然终有发生之日，但德国希望此事不发生在它打倒俄国之前，因为它是不利于同时与一切协约国开战的。所以在奥塞冲突开始时，德国曾努力从事于约英国守中立。不过英国根本不两立，英政府岂不明白？英法俄同为三国协约分子，德既攻击俄法，英政府岂容旁观？因此，德国中立提议，不为英国所容纳。八月四日，伦敦接到德军破坏比利时中立的报告，英国对德，更有口实。四日夜半，英德遂入于交战的状态。

于是奥塞两国的冲突，卒酿成各帝国主义的大战。

意大利背盟中立

二十世纪初期的欧洲形势，本为三国同盟与三国协约对峙之局；现在除德、奥、英、法、俄五国均已卷入战事旋涡如上所述外，还剩下一个意大利，它的态度是怎样呢？论名分，意大利是三国同盟之一员，似应起来攻击协约各国，但事实上，它却不肯帮助德奥一致动作。这种情形，初看似觉奇怪，实则亦极自然。因为意大利对于三国同盟，原是比较不积极，不坚固的分子，自一九〇二年以后，它与英法亦多协定关系。同时在他方面，意德之间，感情尚好，意奥关系，却很不佳；意大利对于它所谓“未恢复的意大利”的愿望，及其支配亚得里亚海（Adriatic Sea）的野心，均非牺牲奥大利的利益不能实现。此时为罗马政府计，最妙者固莫如由同盟而中立，由中立而反攻，一步一步地变化下去，于是八月三日，意大利正式宣布中立。

全世界卷入战争旋涡

一九一四年的战事，号称世界大战，论其区域的广泛，参加的众多，亦诚名副其实。是年八月二十三日，日本借着英日同盟的名义对德宣战，攻击德国在远东的根据地而占有之。同年十一月，土耳其因为少年党人亲德的关系，加入德奥同盟，对协约国作战。一九一五年五月二十三日，意大利基于历年的愿望，及与英法的秘密协定，改变中立态度，正式对奥宣战。同年十月，保加利亚不忘第二次巴尔干战争的屈辱，决与德奥一致动作，起而攻击塞尔维亚。一九一六年八月，罗马尼亚热中于领土的扩张，加入协约团体，攻击奥国。至一九一七年四月六日，则最重要的中立者北美合众国亦复对德宣战；同年八月十四日，中国又有对德宣战之举。此外，更有加入战争的小国，由是欧洲帝国主义的争斗，爆发为世界的空前大战争。

第三节　大战的经过与结局

德国最初作战计划失败

在大战发生后，第一步胜利属于德意志。因为在军事上，德国比较协约国两层便利：其一是它的准备完成，行动敏捷；其二是它的位置适宜，居中策应，可收指臂之效。不过德国利于速战，而最忌的是旷日持久；因为它的资力有限，而协约方面则甚充足，若任其继续发展出来，于德国殊为危险。因此德国必假道比利时进兵，即令破坏中立，授英国以加入战争的口实，亦所不惜。不过事实上，亦有不尽如德国所预想者：比法抵抗的顽强，出乎德国意料之外；英国赴法的援兵，源源而至，西战场的阻力更大；加以俄在东战场的大举攻击，究竟牵制德国兵力不少。于是德国最初作战计划，预算在西战场迅速打倒法国，然后以全力扫荡圣彼得堡与莫斯科者，乃未能达到目的，而战局竟延长下去。

协约国收战胜之果

自一九一四年八月德国与协约国开战，至一九一八年春季德国大攻击的开始，四五年间，双方互有胜负，战局不能决定。德国陆军多能制胜，但海军被封锁在港内，不能有大规模的发展，而由协约国支配海上。德国在欧洲大陆占优势，而在其他世界各地的势力则落于协约国之手，德国在军事上足以自负，而经济上则包含着种种的危机。及至一九一七年四月，美国亦起而反对德国，加入战争，则局面为之大变，德国最后胜利的希望，已日觉其渺茫。虽则在一九一七年之末，俄国发生大革命，旋即与德议和，东战场已不如前此之费力；然而德国连年苦战，元气大伤，经济的压迫与民众的不安，实使德国有不能继续支持之势。一九一八年春季的大攻击，在德国正可说是孤注一掷，将以此打开一条生路，急切求一较好的结果；而不料此最后的猛烈攻击，亦卒未能达到目的。随后七月十八日，协约方面的联军开始反攻，德国军队从此节节挫败，识者已知德国完全陷于失望的地位，大战结束当不在远。德既败退，其他同盟方面的军队，自然更难支持。九月末，保加利亚遇着英法联军从希腊方面进击，首先停战投降。十月末，土耳其为保加利亚的事变所牵动，亦即随后降服。保土两国既然失败，德奥两国支配巴尔干，侵扰近东中东方面的政策，为之完全破坏；而且奥大利的侧面，亦因此顿感空虚，其都城维也纳随即有被协约军队侵逼的危险，于是奥大利只得迫而投降，于十一月四日退出战事关系。到了此时，同盟方面次第弃甲曳兵而走，战场上仅有一个德国，仅有一个神疲力竭的德国在那里应战了。虽以极自负的德国军政首领，亦不得不自认失败；而国内人民的骚动，一部兵士的抗命，更早在十月下旬即已开始。其结果，德国于十一月十一日与协约国正式停战，空前战祸，即于是日全部告终。

练习问题

（一）试从政治经济各方面说明世界大战的必然性。

（二）大战前夜的和平运动有何意义?

（三）德奥失败是否是公理战胜?

（四）负担战争中的损失者是那些人?

参考资料

（一）《近代欧洲政治史》第六章（商务印书馆）

（二）《欧洲近百年革命运动史》第四章（亚东图书馆）

（三）《世界大战全史》（商务印书馆）

（四）Hayes：*Political and Social History of Modern Europe*, Chap. XXXI

第十三章　俄罗斯一九一七年的革命

第一节　大战的影响

工人运动发展的状况

在大战未爆发前，俄罗斯民众不信任沙皇政府之空气弥漫全国，尤以工农为甚。因为一九〇五年革命失败以来，虽宣布过有名无实的立宪运动，在政治上有若干的改革，然与民众生活无关。一九〇八年以后，工人运动一天天发展，兹录罢工统计如下，以见一斑。

年代	罢工次数	罢工人数
1908	892	176,000
1909	340	64,000
1910	222	46,000
1911	423	256,000
1912	2,023	725,000
1913	2,140	861,000

观上表可见一九一〇年以后工人运动发展之趋势。一九一二年四月四日对于勒诺金矿罢工者之虐杀，益使人心动摇，罢工怒潮蔓延全国，到处与军警争斗。一九一四年七月法总统普嘉赉（Poincare）游圣彼得堡时，全市到处设防，电车火车均已停止，游行示威公开集会演讲者充塞街衢，革命似已迫于眉睫。

农民骚动

对农民方面，虽颁布所谓《斯脱芮宾土地解决法》，允农民将分自农村公社（Mir）的土地为己有，而有自由买卖的权利，然一般农民所欲分得者却非农村公社的土地，而为地主的土地。故农民对此，亦不满意，时有骚动。土地问题未经根本解决，农民仍处于残酷剥削之中，其反对沙皇的心理，并不比城市工人落后，一有机会即活跃起来。

十月党的不满

工农态度既这样的激昂，即保守派的十月党亦跃跃欲试，如鲍瑞歇夫普希金（Bobrishchev-Pushkin）乃十月党之首领，当时向民众大声疾呼：“一九〇四年复至矣！吾十月党与社会民主派又当一度再事联合进行矣！”出此看来，俄罗斯革命风云，实已笼罩全国。

大战发生与拥护祖国

不料沙皇向德奥宣战，革命运动反而和缓起来。当时除社会民主工党的多数派（Bolshevik）反对战争主张“败北”外，其他各种党派则一致赞助战争。保守党以战争为实现大斯拉夫主义的手段。立宪民主党，社会革命党及社会民主工党的少数派（Monshevik）以为与民主的英法携手，必能一举而复德。德败则俄罗斯国以德为援之反动势力将受打击，容易使沙皇进行政治的改革。赞助战争者既多，革命运动便被“拥护祖国”的狂热压下去了。

战争中的粮食恐慌

开战以后，执政的腐败官僚之弱点完全暴露出来。前线军队的枪弹时忧缺乏，致勇敢善战的队伍，不能不自德境加利西亚（Galicia）向后撤退。前线将士横遭失败，遂群集其怨毒于沙皇。后方民众骤闻败报，亦深不满于腐败的官僚。从前赞助战争的民气已化归无何有之乡，革命风云仍复四起。加以战费浩大，人民负担日增，生计日迫。参加战争者达一千五百万之多，不惟国内骤失大批的生产者，而留在农村生产的农民又须努力耕种以养巨额的兵士。战争延亘三年，时从后方调派农民，补充前线死亡的队伍，生产者日少一日，据一九一六年统计，耕地比前减十分之一，一九一七年则更减于一九一六年，以此引起粮食恐慌。像这样切肤的生活问题，考其原因，确由战争而起，于是怨怼战争者的人数远过于一九一四年的赞助战争者，于是一九一七年的革命，遂以粮食问题为导火线而爆发。

第二节　二月革命

圣彼得堡暴动胜利

一九一七年三月（俄历二月），圣彼得堡的贫民因饥荒而掠夺面包，全市陷于纷扰不宁的状态。其时军队不服从政府命令，同情于民众。到三月十一日，政府还企图压伏革命运动，命令国会停会，罢工工人复工。不料次日铁路工人设计使沙皇的专车出轨，沙皇及其随从不能回到首都。同时，工人又鼓动首都警戒军队的一部分站到民众方面，成立“工兵苏维埃”（Soviet Workers And Soldiers）；另一方面，国会拒绝停会，要求沙皇组织自由主义的政府。但此时革命暴动完全在圣彼得堡制胜，蔓延至各地方及军队。国会大多数即想维持尼古拉，然已不可能。因为政治重心已由国会转移到民众。尼古拉卒于三月十五日宣布退位，而传位于其弟密开耳大公（Grand Duke Michael）。但密开耳不敢接受，诚以在革命狂潮之下，罗曼诺夫皇室再不能维持下去（尼古拉在二月革命被监视，到次年七月十六日与其家族同在伊卡特林堡——Ekaterinlburg——地方被地方苏维埃处死刑）。

两重政权

在二月革命后，俄国有几个不同的政治势力并存，所谓“两重政权”者是也。一个是圣彼得堡的工兵苏维埃，一个是临时政府。后者以立宪民主党员黎福夫（George Lioov）为总理，外有立宪民主党员八人（有名的米留柯夫——Milyukov——教授为外交部长），十月党员三人，社会革命党一人（即克伦斯基——Kerensky，系工兵苏维埃代表）。就中以米留柯夫一派势力为最大，故其措施，一本立宪民主党在国会中向来之主张，继续对德战争。但立宪民主党虽主持临时政府，却不能控制政局。而领导工兵苏维埃之多数派（社会民主工党）与领导各地农民苏维埃之社会革命党虽亦主张与宪政派携手以巩固临时政府，自居监督地位，然又无以副工农之望。因为工农要求面包与和平，立即结束战争，与临时政府之政策相反。只有多数派首领列宁（Lenin）因临时政府赦免政治犯而归国，主张实行社会革命，没收工厂，没收土地分给全国农民，并号召不割地不赔偿，无条件对德媾和，恰与民众要求面包与和平之愿望适合。

七月危机与哥尼洛夫叛变

前线兵士以久困战役之故，相率逃亡，首当其冲的军事部长因此辞职，少数派倡议组织联立内阁。总理依旧为黎福夫，而克伦斯基则一跃而为要角。然仍不足以改善政局，未几又发生新危机。这次新危机的本原，在不能解决工人管理工厂问题，农民土地问题，以及继续战争问题。七月间，圣彼得堡有游行示威之举，指挥筹划者纯为多数派。这次示威，虽经军队之镇压而平静，然联立内阁则从此瓦解。克伦斯基因缘时会自任内阁总理，手握大权，信用日益低落。总司令哥尼洛夫（Kornilov）公然叛变，举兵进逼圣彼得堡。工兵苏维埃派兵士工人出城抵御，并向哥尼洛夫军队宣传革命要旨。其军队皆自动解除武装，哥尼洛夫被擒，乱事始平定。

第三节　十月革命

克伦斯基的失策

克伦斯基虽削平了哥尼洛夫的叛乱，然终不能从失败的深渊中跳出来。最大原因，在其继续战争的政策，引起当时兵士之反对。有的说：

> 上层阶级始终要我们忍痛牺牲，我们亦既

牺牲了！他们衣食无缺的上层阶级怎样呢？我们现在要问为什么作战？为得君士坦丁堡吗？为争俄国的自由吗？为民主政治吗？抑为资本主义向外侵略吗？如果有人证明我们实为革命而战，就是拼命也愿前去！

有的说：

我们本想以革命求和平，而今之政府怎样呢？不但不予我们以和平，并和平二字也不许说。同时又不予我们以粮饷，更不接济军火，简直把我们卖给敌人，置我们于死地！

兵士的情绪，上两段话中可以知之。此外，土地问题延不解决，向来相信社会革命党的农民亦大大失望，克伦斯基就无所凭依了。

多数派的宣传

多数派自一九一七年四月后，极力运动推翻临时政府，高喊“一切权力属于苏维埃”。当时全俄各地苏维埃还在社会革命党与少数派手中。然列宁专致力于下层群众的宣传，提出三大口号：（1）土地归农民，（2）工厂归工人，（3）无条件对德媾和。这三大口号是民众向克伦斯基求之不得者。于是全俄各地苏维埃都依附多数派。列宁对土地问题尤有彻底的了解。在克伦斯基主张“未开宪法会议以前仍维持旧有土地关系”的时候，列宁于其《革命的教训》一文中大声疾呼：“必俟开宪法会议然后解决土地问题，必俟战争终结然后开宪法会议，必俟完全胜利然后终结战争……简直是公然愚弄农民。”所有这些宣传，都搔着农民的痒处。

十月革命的胜利

当时社会革命党分裂而成左右两派，右派与立宪民主党携手，左派则与多数派接近。会九十月间各地农民受社会革命党左派之指挥，重演一九〇五年烧毁地主住宅，掠夺地主谷物的悲喜剧。临时政府则派兵镇压，益使农民仇视。多数派与社会革命党左派竭力要求召集全俄苏维埃大会以为最高执政机关。多数派又暗里组织军事革命委员会准备暴动推翻临时政府。圣彼得堡的军队公然声明服从苏维埃，波罗的海舰队兵士亦加入。十一月七日（俄历十月廿五日）多数派调遣军队包围克伦斯基所居之冬宫（Winter Palace），是时守卫冬宫者只陆军军校学生一队及女子兵一队而已。克伦斯基以召集外兵平乱为由，乔装汽车夫遁出圣彼得堡，其他阁员全被逮，政权移交苏维埃军事革命委员会。当日开全俄工农兵苏维埃代表大会，出席者五百六十二人，属于多数派者计三百八十二人。八日，大会选出一中央执行委员会，并组织一人民委员会（Counil of Peoplés Commissary）分掌行政事务，列宁为委员长。人民委员会既组织成立，列宁乃向大会提议三事：（1）前线军队立刻停战；（2）农村土地委员会得暂管地主之财产；（3）予工人以管理工厂之权。通过后，即由人民委员会公布。这是多数党得政权后施政之第一声。世界上与资本主义国家对峙的便有“苏维埃社会主义共和国联合”——简称苏联（Soviet Union）——这个“怪物”了。

练习问题

（一）俄国一九一七年革命的背景如何？

（二）就自己的意见，说明“拥护祖国”的意义。

（三）二月革命与十月革命有什么差异？

（四）对多数派策略之批评。

参考资料

（一）《俄国革命史》第四章（商务印书馆）

（二）《近代欧洲政治史》第六章第七节（商务印书馆）

（三）Lawton：*Russian Revolution*，1917–1926

（四）Hayes：*A Political and social History of Modern Europe*, Chap. XXXIV

第十四章　世界大战结束后的巴黎和会

第一节　对德停战的条件

威尔逊的十四条

一九一八年四月，德国旧政府以形势不佳而改组；同月五日，此新政府请求那时盛负誉望的美国总统威尔逊，依其宣布的十四条（The Fourteen Points）出来主持和约；先议停战条件，次开国际和会。所谓威尔逊的十四条，系一九一八年一月八日美总统对国会所发表，即是他认为世界和平的要件，兹录其大要如次：（一）公开的和平条约；（二）战时平时海上航行绝对自由；（三）撤除一切经济的障碍；（四）裁减军备；（五）公平的调节殖民地利益；（六）从俄国境内撤出敌军；（七）撤去比利时境内的敌军而使之复元；（八）一切法国的土地解放，其被侵入的地方当复元，亚罗两州亦当退还；（九）依民族界线以改正意大利的国境；（十）对于奥匈帝国治下的异民族，当给以自治的发达的机会；（十一）罗马尼亚，塞尔维亚，门的内哥罗境内的敌军当撤退，其被占领的土地当复元，而对塞尔维亚当给以出海口；（十二）土耳其帝国的本部当给以保全，但其他异民族当享有生命安全及自治发展的机会，而达旦尼尔海峡当依国际保障对一切国家的商务开放；（十三）波兰当建成一独立国，而具有出海口；（十四）今后当组织一个国际联合会，对于大小国家的政治独立及领土保全，同样给以相互的保障。此十四条发表后，当时曾为一般所尊重。

停战条件

十一月五日，威尔逊几经考虑之后，接受德国请求，通告协约各国提出停战条件。十一月八日，协约各国将停战条件提交德国代表，其中规定是很苛的，例如：（一）德国当即时退出所占领的一切土地，而且抛弃亚尔沙斯，罗伦两州；（二）德国须退过莱茵河，在莱茵右岸设定中立区域；（三）德国须取消在三月中与俄国所订和约及与罗马尼亚所订和约；（四）德国当交出军械及舰队于协约国。德国代表接得此等条件时，正值德国内部发生革命，宣布共和之际，已经没有拒绝的余地。于是十一月十一日，德国新政府只得与协约各国签定停战条约，以渡过目前的难关。至于一切改造和善后，则待之于巴黎和会。

第二节　巴黎和会的一般

和会的特点

巴黎和会以一九一九年一月十八日开会于法国凡尔赛宫，到协约方面三十二国的代表七十二人。但革命的俄国则被摈于和会之外。关于此会，有两特点值得注意：其一是和会（Peace Conference）二字，不足以概括此会的性质，美总统威尔逊及其他较有理想的政治家，其到会的目的，不仅在对同盟国缔结和约，收束战事，而且企图积极的借此国际大会以树立国际和平（？）的基础。自国际联盟的组织以至国际交通，劳工问题等等，均为该会的重要议题。其二是巴黎和会中议和条件的决定，不是双方谈判的性质，而是由战胜国一方面独断的。协约各国不使德国及其同盟国立于平等地位，而只在和约已经议定之后，提交它们，听其承认或拒绝而已。

和会的组织

在组织方面，巴黎和会可分三部：第一，最高会议（Supreme Council），由英、美、法、意、日五强代表主脑组织之。每日开会两次，每国派出代表二人，所以通常又称为“十人会”（Council of Ten）。关于和会议题的采列，大政方针的决定，悉纵于此会议。第二，各国委员会，通常由五强各出委员二人，其他各国共选代表五人组成之，以审议各种专门问题。例如国际联盟委员会，讨论联盟组织方案；赔款委员会，审查协约各国损失以定德国赔偿程度之类。委员会审查的问题，须经“十人会”议决，而后提出于所谓总会（Plenary Session），正式表决之。第三，总会在名义上可称为和会本体，各国代表全体出席，不过按之实际，和会一切要务，皆早经“十人会”决定，提出总会时，不过履行一种形式上的画诺而已。自三月二十五日起,“十人会”减为“四人会”,以英、美、法、意四个代表团首领组成之。而自四月二十日意代表首领奥南多（Orlando）为阜姆（Fiume）问题愤然离去巴黎以后，和会的主脑更减缩为美总统威尔逊，法总理克列曼梭，及英总理路易乔治的三头会议。

同床各梦的三头会议

就三头会议说，威尔逊与克列曼梭的政见，常立于反对的地位，威尔逊较有自由思想，他相信以宽大的条件成立和议，为树立和平的好方法。他并且想利用这个机会设立国际联盟的组织，以为巩固和平，防止战争的要务。在克列曼梭方面，他在欧洲政治上饱经忧患，他所注重的是法国的实际利害问题。对于国际联盟的和平效力，他没有多大的信任心，而主张加德国以严厉的裁制，使不得再为法国的祸害。至于英国的路易乔治，则立于此两极端的中间，他一面赞成威尔逊的联盟思想，同时亦愿见德国受相当的处罚，使法国有防备危险的保障。每遇美法两国首领发生冲突，便常有赖于路易乔治的调停。

威尔逊失望的原因

当一九一八年十一月十一日停战条约签字时，双方曾愿以威尔逊的十四条为议和的原则。威尔逊不顾其国务委员的劝阻，亲身出席巴黎和会，亦即为实行其主张。然在后来事实，却不能不使他失望！此中障碍，约有两点：其一是和会开会，适在巴黎的战争空气中，所有决议，不免受环境的压迫，而不能符合理想。其二是协约国相互间在战事进行中已有种种密约的拘束，而失去其行动的自由。例如阜姆问题，山东问题，即受有此项拘束者，威尔逊虽极力声言，各国承认十四条的原则，即当废止一切与此原则违反的协定，但实际上谁肯听他的话？其结果，彼此的争执难解难分，终于不得不迁就依违以了事。

第三节　和会上的重要问题

世界大战，牵涉至广，有待于巴黎和会解决的问题为数甚多，兹就其主要者，略述六项如下。

国际联盟的创设

列强联合支配世界的理想，发生甚早，但集其大成而促其实现者，则为威尔逊。在威尔逊的十四条里面，他主张将世界各国组成一个联盟，以维持永久的和平（？），他之所以躬赴巴黎，即决计使此项国际组织及早成立，列入正式和约之内。他这种主张，得着世界列强的赞助；虽则法国代表如克列曼梭之流，对威尔逊有所不惬，究亦未尝力持异议。于是一九一九年一月二十五日，威尔逊在巴黎和会的第二次总会动议，设立国际联盟，即由总会决议任命一委员会起草组织案，而由威尔逊自任此委员会的主席。二月十四日，国际联盟条约草案提出大会，交由各国审议。四月二十八日，草案修正各点经威尔逊说明后，即由大会正式通过。虽则国际联盟至一九二〇年一月始组织成功，而其基础实确立于此日。于是宰割弱小民族的总机关便成立了。

莱茵境界的决定

国际联盟的创设，困难较少，而莱茵境界的决定，则妥协甚难。一九一七年，法兰西政府已与俄帝国政府结有秘密协定。双方约定从德国夺取莱茵左岸之地，建为中立国，而暂由法国军队在彼占领；及俄国革命后，苏维埃政府将此秘密协定公表，英国政府随即否认之，停战条约签字以后，法军总司令福煦（Marshal Foch）随即敦促克列曼梭坚执要求法国东境以莱茵为界，因为自多数法兰西人视之，使莱茵左岸与德国分离，殆为防备未来危险的唯一强国确实的保障。巴黎和会开幕，法国代表于此主张法国权利，而为英国所极力反对。三月十四日，威尔逊与路易乔治共同拟定“联合的军事保障”的提案，以应付法国的要求。法国代表则主张此项保障不作为占领的替代，而仅为占领的补助。英美两个代表与法国代表意见不能一致，甚至一时竟有决裂之象，后以克列曼梭感到孤立无援，希望甚少，始不得已而撤退其分离莱茵左岸的要求。四月二十日，威尔逊允许协约联军占领莱茵左岸，以十五年为期。同月二十二日，路易乔治赞成此议，他们并且约定：如果对于法国的安全保障在期满后尚觉得不充分，则占领期可以延长；如果德国未能偿付它的债务，协约联军亦可再占此地。

萨尔煤区的处置

在巴黎和会中，法国要求合并萨尔区域，以为其战时损失的补偿，亦大引起列强的争执。在各方面意见，法国在它自由的煤矿不能足用的时期内，可以享用萨尔的煤，但将萨尔全区从德国分离出去，则咸目为过分。后来法国觉得合并无望，乃改变要求，主张将此区域设一特殊的政治组织，包括煤矿全部在内。结果由和会决定，在此区设一行政委员会，以五人组织之，其中三人由国际联盟任命，一人由法国任命，另一人则由本地住民选出。此委员会以十五年为期，期满后举行人民总投票，以决定此区域的究竟合并于法国，或继续由委员会管理的制度，或复归于德国，如复归于德国时，则德国当照彼时煤矿估价偿付金额于法国。

赔偿问题

关于赔偿问题，美国代表与英法代表意见，极不一致。威尔逊的主张，赔偿限度，只能溯及“德国在陆地，海上，空中的侵犯举动，对于协约各国住民的生命财产所加损害的赔偿”；然在英法的执政者，尤其是法国的执政者，则主张德国应偿付全部的战费，而且不肯定出一个有限度的赔偿总额。最后调和的方案是：赔偿项下，包括战争抚恤金，年金在内；在最近两年内，德国须先交出二百万万金马克；至于全部赔偿的数额，以及赔款偿付的计划，则在此两年内由协约各国另行会商解决。

阜姆问题

依照一九一五年的参战密约，意大利经协约国承认，取得对于北达尔马希亚（North Dalmatia）的权利。此种协定，原已违反了民族自决的精神；然而在巴黎和会中，意大利却更以此协定的名义，要求对于阜姆行使合并，虽则在阜姆及其附近地方，意大利人实居少数，英法对此，不表同意，而威尔逊则更声言意大利既承受了他的十四条的原则，便当抛弃一切与此原则违反的要求。随后塞尔维亚请他出来仲裁，他主张南斯拉夫人应当取得一个有效的出海口。四月中旬以后，德国代表行将到达巴黎，意代表奥南多坚持和会须即时考虑阜姆问题，虽则此问题并不构成对德和议的一部分。在“四人会议”中，威尔逊与奥南多相持不下，几经讨论，未有结果；于是奥南多声明，在此问题未依意大利的利益解决以前，他不再参加“四人会议”，并随即率领意代表团回国，以示决绝。但在五月四日英法美三代表招请他们赴会，他们又于五月六日来到巴黎。在后来的会议中，意大利表示让步，不如以前坚执，阜姆问题，一时遂成悬案。

山东问题

意大利代表愤然离去巴黎，于山东问题的解决发生不良的影响。一九一七年二三月间，日本与英、法、意、俄四国结有秘密协定：四国允在讲和会议赞助日本对于山东的权利，以为其参战国的报偿。威尔逊到巴黎后，始闻知有此项秘密协定，不肯受其拘束，而公然表同情于中国方面。日本代表，采取胁迫态度，表示如果不能贯彻其要求，他们即脱离和会。美国代表团认日本此种态度不过是虚声恫吓，并欲全体辞职，以示抗议；但威尔逊则深恐意大利及日本对于和约不签字，则构成和约一部分的国际联盟的运命将陷于危险，遂不惜出卖中国的利益。结果，和会决定将德国在山东的一切权利，概行让渡于日本；中国代表则因国内民众的反对，在和约上拒绝签字，这是各帝国主义者的代表所不及料的。

第四节　和会产生的重要条约

巴黎和会开会，先后一年有余，共成和约五起，以为此次大战的结束，其内容。略述如下。

对德和约

对德和约以一九一九年六月二十八日签订于法国凡尔赛宫，亦称《凡尔赛和约》。依照此约规定，德国在西方割让亚尔沙斯，罗伦二州与法国，而割让普鲁士国境上几个小区域与比国，萨尔区域以十五年为期交由国际共管；卢森堡退出德国关税同盟。在北方，则北部什列斯威及中部什列斯威的究竟属于德国，抑或属于丹麦，当取决于住民的总投票。至在东方，德国领土牺牲最大：波森（Posen）及西普鲁士两省的大部分，割让于波兰；上西利西亚（Upper Silesia）当举行住民总投票；但泽（Dantzig）当于国际联盟保障之下建为自由市，圈入波兰的关税区域内。德国在海外的殖民地，概行抛弃。德国陆军，当减成十万人；参谋本部即当取消；军用飞艇不许保留；军器种类立有限制；莱茵东岸三十哩内，作为解除军备区域。海军舰队大加限制，潜水艇绝对不许建造。关于赔款总数，当一九二一年五月一日以前由协约各国会议决定，通知德政府；但截至那天为止，德国须先交出金马克二百万万。所有一千六百吨以上的商船，德国须全数交出，至八百吨至一千六百吨者则交出其半数。基尔运河（Kiel Canal）对一切国家的军舰商船开放。为保障和约的执行起见，由协约联军占据莱茵左岸，以十五年为期。

对奥和约

对奥和约以一九一九年九月十日签订于巴黎郊外的圣日尔曼（St.Germain），亦称《圣日尔曼和约》。依照此约规定，奥匈帝国完全分裂。捷克斯拉夫，南斯拉夫，匈牙利，波兰，均离奥而独立，特伦替洛（Trentino），南替罗尔（South Tyrol），的利雅斯特（Trieste），伊斯特利亚（Istria）则割让于意大利。陆军减三万人，海空军完全废止。所有商船概行交出，非经国际联盟行政会的许可，奥国不得与德合并。

对土和约

对土和约条件最苛，其所遇阻力亦最大。依此和约，土耳其不仅丧失边疆，即腹地亦不完整。君士但丁堡仅在名义上保留于土皇，达旦尼尔及博斯破普斯两海峡化为国际共管。土耳其在欧洲的领土大都给予希腊，亚洲领土则分配于英、法、意、希各国。土在当时，等于灭亡。但以凯末尔（Kemal）将军等努力反抗，此项和约始终不发生效力。卒于一九二三年七月十四日另订一平等条约于瑞士的洛桑（Lausanne）。

和会的意义

以上是巴黎和会的结果，也是第一次世界大战的结果。老实说，就是各帝国主义经过四年的血战，把许多下层民众送到前线当炮灰，打到两败俱伤的时候，借开和平会议的美名，重新分割世界。德奥便是被处分的戎首，用《凡尔赛和约》、《圣日尔曼和约》为锁链，使两国民众到现在还不能动弹，巴黎和会的意义就是这么一回事。

新矛盾的展开

然而旧的世界矛盾虽说告一暂时的解决，而新的矛盾却又向另一方面展开。英、美、法、日、意诸强国在高奏凯歌之后，彼此间的冲突一天天的厉害起来。苏联以政治经济原则不同，更是它们共同的死敌，在和会以后，对苏联演了不少的把戏（如武装干涉，经济封锁等）。在这样严重对立的世界中，最近又非再演一出“全武行”不可。到了现阶段，重新分割世界已列在“议事日程”之上了。

练习问题

（一）对威尔逊十四条的批评。

（二）巴黎和会与维也纳会议的比较如何？

（三）巴黎和会内部有那些矛盾？

（四）试述巴黎和会的意义及其结果。

参考资料

(一)《欧洲近百年革命运动史》第五章十节至十三节(亚东图书馆)

(二) Hayes: *A Political and Social History of Modern Europe*, Chap. XXXIII

(三) A.J.Toynbee：*The World after The Peace Conference*

三联经典文库第二辑简目

《游击战教程》　明凡 / 著

《游击战术纲要》　陶剑青 / 编著

《汪精卫卖国的理论与实践》　钱俊瑞 / 著

《抗战以来》　韬奋 / 著

《陕行纪实》　楚云 / 著

《随军散记》　沙汀 / 著

《被日寇囚系半载记》　王研石 / 著

《倭营历险记》　房沧浪 / 著

《活跃的新西北》　田影 / 编著

《保卫华北的游击战》　刘清扬　陈北鸥等 / 著

《徐州突围》　《徐州突围》编委会 / 编

《沦亡的平津》　长江　小方等 / 著

《淞沪火线上》　胡兰畦等 / 著

《瞻回东战场》　长江　罗平 / 著

《东线的撤退》　胡兰畦等 / 著

《抗战中的西北》　徐盈 / 著

《鲁闽风云》　徐盈等 / 著

《西线生活》　西北战地服务团集体创作

《中国解放区见闻》　［美］福尔曼著／朱进译

《全面抗战论》　潘汉年／著

《日本的间谍》　范士白自述／尊闻译

《日本大陆政策的真面目》　国难资料编辑社／编

《民众动员论》　李公朴／著

《中国外交史》　钱亦石／编著

《太平洋军事地理》　蒋震华／著

《世界经济地理讲话》　思慕／著

《列强军力论》　［德］马克斯·威纳尔著／宾符　仲持　梅益等译

《近代国际关系史》　张铁生／著

《太平洋现势手册》　沈志远　石啸冲／编著

《近代世界政治史》　钱亦石／著

《从战争到和平——一九四五年的世界政治》　乔木／著

《战后日本问题》　思慕／著

《最近一年间的国际动态（1946.7—1947.6）》　《东北日报》社／编

《论政党》　翟放／著

《法与宪法》　韩幽桐／编著

《中华民国宪法刍议》　罗家衡／著

《民主·宪法·人权——作之民》　费孝通／著

《宪法论初步》　潘念之／著

《对反民主的抗争》　韬奋／著

《农村改进的理论与实际》　江恒源／著

《上海产业与上海职工》(上下)　朱邦兴　胡林阁　徐声 / 合编

《陶行知教育论文选辑》　陶行知著 / 方与严编

《中国通货膨胀论》　杨培新 / 著

《中国及其未完成的革命》　H·普拉特著 / 蒋天佐译

《中国的建设问题与人的训练》　卢作孚 / 著

《论中国特殊性及其他》　艾思奇 / 著

《中国经济问题讲话》　钱俊瑞　徐雪寒　王渔邨　姜君辰　骆耕漠 / 合著

《中国经济的道路》　许涤新 / 著

《中国财政之病态及其批判》　孙怀仁 / 著

《官僚资本论》　许涤新 / 著

《五四运动之史的评价》　陈端志 / 著

《中国通史简编》(上下)　中国历史研究会　范文澜 / 主编

《论文学的工农兵方向——读〈在延安文艺座谈会上的讲话〉》　雪苇 / 著

《中国近代史(上编　第一分册)》　武波 / 编著

《文学百题》　傅东华 / 编

《中国史学之进化》　周谷城 / 著

《论民族形式问题》　胡风 / 著

《论批评》　荃麟等 / 著

《中国史纲》(第一卷上下、第二卷上下)　翦伯赞 / 著

《近代中国思想学说史》(1–4)　侯外庐 / 著

《中国政治思想史》（上下）　吕振羽 / 著

《中国哲学史纲要》　向林冰 / 著

《中国政治史讲话》　钱亦石 / 著

《中国社会经济史纲》　王渔邨 / 著

《新财政学大纲》　千家驹 / 著

《太平天国革命运动论文集——金田起义百周年纪念》

华北大学历史研究室 / 编

《理性与自由——文化思想批评论文集》　胡绳 / 著

《战斗者的诗人》　黄药眠 / 著

《国语文法》　曹朴 / 著

《教育哲学》　张栗原 / 著

《妇女问题讲话》　杜君慧 / 著

《婚姻 · 子女 · 继承》　沙千里 / 著

《性教育新论》　布士克　雅各生合著 / 董秋斯译

《狱中杂感》　杜重远 / 著

《七人之狱》　沙千里 / 著

《爱迪生传》　伍况甫 / 译

《歌德自传》（上下）　歌德著 / 思慕译

《尼赫鲁自传》　[印度] 尼赫鲁著 / 毕来译

《列宁传》　[苏] 凯尔任采夫著 / 企程　朔望译

《罗斯福总统传》　C. Mackenzie 著 / 张尚之译

《托尔斯泰传》（1–3）　[英] 阿尔麦 · 莫德著 / 徐迟译

《革命文豪高尔基》　［美］亚历山大·康恩著 / 韬奋编译

《鲁迅纪念特辑》　新中国文艺社 / 编

《回忆鲁迅先生》　萧红 / 著

《人民文豪鲁迅》　平心 / 著

《亡友鲁迅印象记》　许寿裳 / 著

《鲁迅思想研究》　何干之 / 著

《鲁迅研究》　夏征农 / 编

《过来的时代：鲁迅论及其他》　雪峰 / 著

《电影戏剧表演术》　洪深 / 著

《日常心理漫谈》　［美］约瑟夫·查斯特罗著 / 曾宝施译

《心理常识漫话》　朱智贤　杨云美 / 著

《读书的方法与经验》　王任叔 / 著

《美国黑人生活纪实》　［美］加德维尔　斯坦倍克著 / 董秋斯译

《初访美国》　费孝通 / 著

《事业与成功》　［美］马尔腾著 / 汪原放译

《萍踪寄语（初集）》　韬奋 / 著

《一生的幸福前途——〈生活周刊〉信箱选集》　生活书店 / 编选

《深刻的印象》　生活周刊社 / 编

《海外的感受》　生活书店编译所 / 编

ISBN 978-7-108-04758-8
9 787108 047588 >
定价：45.00元